Devenir propriétaire

Dans la collection Eyrolles Pratique :

- *Employer quelqu'un chez soi*, G. Aubourg
- *Les droits du locataire*, G. Aubourg
- *Devenir propriétaire*, M. Barakat-Nuq
- *Mariage : quel régime choisir ?*, M. Barakat-Nuq
- *Votre retraite*, C.-A. Duplat
- *Donations et successions*, L. de Percin
- *Aides et allocations : vos droits*, I. Gallay
- *Adopter un enfant*, F. Rondel

Maya Barakat- Nuq

Devenir propriétaire

Deuxième tirage 2005

EYROLLES

Éditions Eyrolles
61, Bld Saint-Germain
75240 Paris Cedex 05
www.editions-eyrolles.com

Direction de la collection « Eyrolles Pratique » : gheorghi@grigorieff.com
Maquette intérieure et mise en page : M2M

Sommaire

Préambule
Pourquoi un livre sur l'immobilier ?

L'achat immobilier est l'un des investissements privilégiés des Français. C'est une de leurs priorités dès qu'ils ont un peu d'économies et d'argent de côté. Souvent, cet achat est le but d'une vie entière. C'est un acte primordial pour la plupart des gens. Toute leur vie, ils seront tributaires de cet achat, en seront satisfaits et se sentiront fiers de l'avoir réalisé.

Mais on peut aussi acheter en ayant uniquement pour but de placer utilement son argent.

Vu la grande diversité de facteurs et de raisons qui entrent en jeu lors d'une acquisition immobilière, à cause du nombre d'éléments qui sont importants, à connaître et dont il faut tenir compte, il nous a paru utile de rédiger cet ouvrage pour vous accompagner dans les différentes étapes qui jalonnent un achat immobilier.

Quelles que soient les raisons qui vous incitent à réaliser cet acte, quels que soient la forme d'achat et le bien auquel vous pensez, nous nous attacherons tout au long de ce livre à vous aider dans votre réflexion, à répondre à vos questions et à vous fournir des détails pratiques, indispensables pour faire de votre opération immobilière une réussite et un acte dont vous tirerez les satisfactions attendues.

Les Français et l'achat immobilier

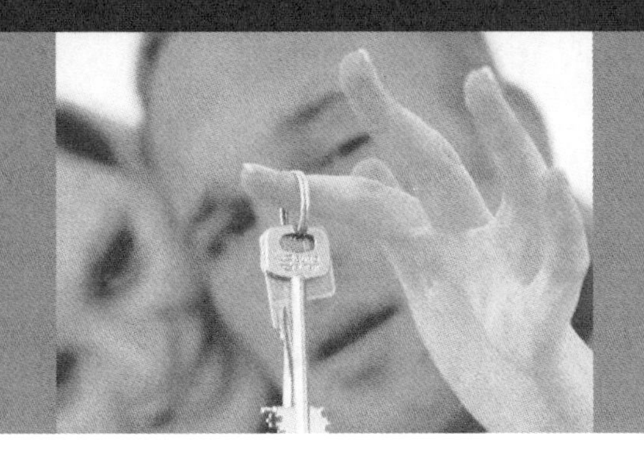

Acheter pour se loger

Lors d'un premier achat immobilier, la majorité des personnes choisissent d'investir dans une résidence principale et ainsi de ne plus payer le loyer qu'elles considèrent comme « de l'argent jeté par la fenêtre ! »

Sécurité et tranquillité sont les deux moteurs d'achat : assurer l'avenir, préparer la retraite et les vieux jours. La revente (et la plus-value escomptée par celle-ci) est d'ailleurs l'une des raisons qui pousse à l'achat immobilier.

Il est vrai que la pierre a toujours représenté un jalon important dans la vie des gens et ceci, quelle que soit la situation économique, la morosité ou la dépréciation du marché de l'immobilier. Elle reste l'investissement le moins dangereux, le plus sûr et le plus rentable à long terme.

Le marché français

Actuellement, 53 % des Français sont propriétaires de leur logement ; l'âge auquel ils accèdent à la propriété est relativement peu élevé : 60 % d'entre eux deviennent propriétaires avant 35 ans.

Parmi les locataires, 70 % souhaitent d'accéder à la propriété et plus de la moitié d'entre eux dans les dix années qui suivent.

La préférence des acheteurs va aux maisons individuelles avec jardin.

Les critères d'achat lors d'une prise de décision sont dans l'ordre :

- le quartier et le voisinage immédiat ;
- la taille du logement ;
- l'exposition, la vue.

Sont également importants, surtout dans les grandes agglomérations, la proximité des commerces et des écoles, la facilité des transports en commun et la proximité d'un espace vert.

La majorité des propriétaires trouvent leur logement trop petit et aimeraient beaucoup avoir une pièce de plus, pour les enfants, les loisirs et disposer « vraie cuisine », dans laquelle ils pourraient prendre leur repas.

Enfin, 69% des propriétaires ont recours à l'emprunt pour financer leur acquisition.

Le crédit représente plus de 55 % du montant du logement, dans la moitié des cas, et plus de 75 %, dans le tiers des achats.

D'autres formes d'achat

Il y a également d'autres raisons qui motivent les acheteurs, les plus courantes sont :

- l'achat d'une résidence secondaire, souvent située dans des régions moins onéreuses ;
- l'investissement locatif, on achète une surface plus petite que celle qui est nécessaire à son propre chez-soi, dans le but de louer. Ainsi, on profite à la fois des revenus locatifs, de la bonification de l'investissement réalisé et d'une déduction d'impôt sur le revenu assujetti à l'immobilier locatif ;

- l'investissement pur, sur papier, par l'achat de SCPI (Sociétés Civiles de Placement Immobilier). Il s'agit, dans ce type d'investissement, d'acheter des parts (ou participations) à des sociétés spécialisées dans l'investissement immobilier.

Tout au long de ce livre, nous verrons ces différentes façons d'acheter. Nous détaillerons, d'une manière plus large, l'acquisition d'une résidence principale. Celle-ci concerne en effet la majorité des ménages et se trouve au cœur de toutes les conversations.

Les cas des marchands de biens et des spéculateurs immobiliers ne seront pas traités dans cet ouvrage, qui est dédié à l'achat immobilier non professionnel.

Enfin, en fin d'ouvrage, vous disposez également d'un **lexique juridique** des termes les plus courants ainsi que d'**adresses pratiques** qui vous aideront dans vos différentes démarches.

Chapitre 1

L'acquisition immobilière pas à pas

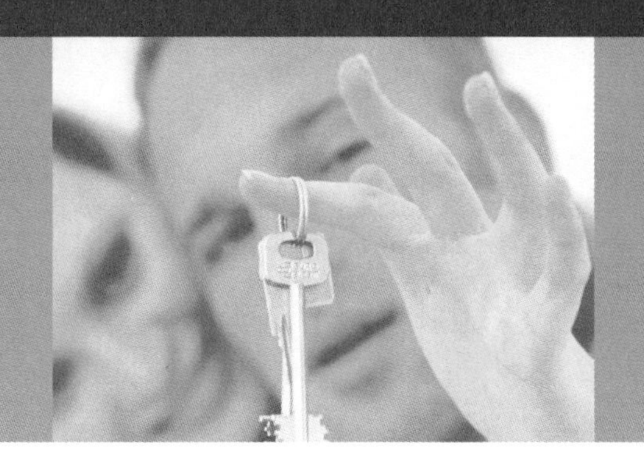

Le projet et le désir d'acheter qui germent chez l'acheteur constituent la première étape. Le futur acquéreur commence à regarder autour de lui, à se retourner dans la rue sur les pancartes qui indiquent qu'un appartement est proposé à la vente, à évaluer le prix de celui dans lequel il loge, celui de ses amis, de ses parents...

Il se renseigne sur l'état du marché, lit les articles divers et nombreux qui traitent du sujet, s'intéresse aux variations de prix, aux taux des crédits accordés par les banques, aux programmes proposés par les promoteurs à grand renfort de pancartes publicitaires et de prospectus glissés dans les boîtes aux lettres...

Un beau jour la décision est prise : il est temps d'acheter et de devenir propriétaire !

Cette décision et cet achat vont l'engager pour de longues années. D'une part, car on achète rarement pour revendre rapidement : les acheteurs qui souhaitent réaliser une simple opération financière sont minoritaires. D'autre part, le pouvoir d'achat de la majorité des ménages est tel qu'il est pratiquement impossible d'acheter en ayant la totalité du montant de l'achat disponible.

Devenir propriétaire

Dans 95 % des cas, un achat immobilier est réalisé au moyen de crédits immobiliers. La nature de ces prêts est très variée, leur attribution est conditionnée par de nombreux facteurs. Nous verrons ces différents prêts plus en détail (voir chapitre 3).

Mais ce qui nous intéresse en premier lieu dans ce chapitre, c'est la mise en place du budget d'achat. Il s'agit d'évaluer, dans un premier temps, la somme globale dont vous disposez pour votre achat, ensuite de pouvoir évaluer vos dépenses, charges, mensualités et loyers que va entraîner cet achat.

Établissez votre budget

Avant de faire votre choix et de vous orienter vers l'achat d'une maison, d'un appartement ou d'une surface donnée dans un secteur plus ou moins favorisé et plus ou moins agréable (ces éléments sont parmi les éléments les plus décisifs pour le prix de votre acquisition), et avant de vous engager financièrement et de vous endetter pour de nombreuses années, il convient de faire vos comptes, et de savoir quelles sont vos possibilités d'achat, en établissant un budget prévisionnel.

Les possibilités d'achat seront fonction de deux éléments principaux :

- le montant de vos disponibilités et de vos économies, ainsi que celui des prêts accordés ;
- vos revenus qui conditionnent vos possibilités de remboursement des mensualités du (ou des) prêt (s) qui peu (ven)t vous être accordé (s), et des charges afférentes.

Il convient de ne rien oublier dans l'énumération des dépenses auxquelles vous devrez faire face. Un plan de financement et un budget ne peuvent souffrir « l'à-peu-près ». Il s'agit de tout prendre en compte de façon à ne pas vous trouvez engagé dans le cercle impitoyable et vicieux de l'endettement qui augmente sans cesse à des taux très élevés.

Ces charges ne se limitent pas seulement au montant de votre acquisition ou à celui des mensualités de remboursement.

Tout au long de l'élaboration de votre budget, essayez d'être le plus précis possible, quitte à réajuster ensuite les prévisions, les montants et les dates en fonction de votre projet qui prend forme et de l'acquisition qui se réalise.

Évaluez les dépenses et les charges

Les dépenses et les charges se divisent en deux catégories :

- des **dépenses ponctuelles**, que vous aurez à effectuer une fois au moment de l'achat, comme les frais de notaires, les frais de déménagement et les travaux d'aménagement ;
- des **dépenses régulières**, mensuelles ou trimestrielles, que vous aurez à régler tout au long de la durée de vie de votre crédit ou même de votre acquisition, comme les remboursements d'emprunt, les dépenses d'entretien, d'électricité, d'assurances, etc.

La première catégorie de ressources, constituée par les **économies,** devra faire face et subventionner les dépenses ponctuelles et immédiates.

La seconde catégorie, celle qui est rattachée aux **revenus,** permettra de procéder aux remboursements des prêts et de prévoir toutes les charges occasionnées par la nouvelle propriété immobilière.

Aussi, nous allons présenter les avoirs et les disponibilités qui devront suffire aux dépenses « lourdes » et ponctuelles sous forme d'un tableau.

De même, les revenus périodiques qui serviront à payer les charges du même genre seront décrits dans un second tableau (voir plus loin).

Les dépenses ponctuelles

Ressources	Dépenses
Biens immobiliers à vendre	*Dépenses relatives à tous les achats immobiliers :* • frais d'acte notarié ; • frais d'hypothèque ; • frais d'ouverture de dossier de crédit ; • frais d'intermédiaire immobilier ⇛ agents immobiliers, notaires ; • frais de déménagement et d'emménagement ; • frais relatifs aux branchements EDF, GDF, eau, égout, etc. ; • frais d'assurance.
Aides familiales	*Dépenses relatives à la rénovation d'un appartement :* • frais d'assurance ouvrage ; • TLE (Taxe Locale d'Équipement), s'il y a création de mètres carrés supplémentaires, ou transformation de mètres carrés non habitables en mètres carrés habitables ; • nouveaux branchements ⇛ EDF, GDF, eau, égout, La Poste, etc.
Différents types de prêts : • CEL (Compte Épargne Logement) et PEL (Plan Épargne Logement) ; • PAP (Prêt aidé pour l'Accession à la Propriété) ; • PC (Prêt conventionné) ; • prêt à taux zéro ; • prêt pour l'amélioration de l'habitat ;	*Dépenses relatives à la construction d'une maison sur un terrain à bâtir :* • TVA relative aux droits d'enregistrement du terrain ; • frais d'intermédiaire relatifs à l'achat du terrain ; • frais de rédaction du compromis de vente ; • TLE ;

• 1 % logement ; • prêt aux fonctionnaires ; • prêts des organismes sociaux ; • prêts des collectivités locales ; • prêt bancaire « classique » ; • prêt-relais.	• frais divers d'équipement du terrain, entre autres, frais d'arpentage et de bornage du terrain, frais de voirie avec souvent le versement d'une indemnité, frais d'adduction d'eau, de branchement au réseau d'eau potable, frais de branchement EDF et GDF, La Poste, etc. ; • frais d'assurance ouvrage ; • travaux d'équipement et d'aménagement non compris dans le prix forfaitaire global.

Ce tableau montre clairement que le prix de votre achat immobilier, bien qu'il soit le plus lourd dans la balance, n'est pas le seul élément dont vous devez tenir compte dans vos calculs de charges. Vous devez également vérifier, si vous disposez des sommes nécessaires et disponibles pour votre acquisition.

Après avoir établi votre budget, si les sommes prévues ne suffisent pas, il vous reste deux possibilités :

- chercher et trouver une acquisition d'un montant inférieur ;
- faire un emprunt un peu plus élevé, afin de ne pas commencer l'opération immobilière dans de mauvaises conditions. Une mauvaise évaluation de vos besoins financiers, d'une façon trop restreinte, ne peut que vous conduire à des difficultés.

L'évaluation de votre budget vous permet de prendre sereinement la bonne décision :

- si vous êtes armé pour réaliser cette opération immobilière rapidement, allez-y !
- si ce n'est pas le cas, remettez votre projet à plus tard. Ceci est sans doute plus raisonnable...

Aussi, utilisez ce tableau et inspirez-vous-en de façon à ne négliger aucune dépense. Même si certaines vous paraissent minimes par rapport au prix du bien, elles s'additionnent rapidement et peuvent vous gêner.

Prévoir large et emprunter légèrement plus que prévu entraînera certes une légère augmentation du montant du crédit. Mais, sur une période de 15 à 20 ans, celle-ci est rarement ressentie du point de vue des mensualités de remboursement.

En revanche, le fait d'emprunter plus vous permettra de franchir plus facilement l'étape de transition entre l'ancien et le nouveau logement, qui pose souvent problème à l'acheteur immobilier.

En effet, l'une des erreurs récurrentes de tout futur propriétaire est de sous-estimer ses besoins, de ne pas tous les comptabiliser, de ne tenir compte que du prix du bien immobilier et de se trouver ainsi « coincé » financièrement dès les premiers pas.

Nous verrons plus en détail les frais afférents aux différentes formes d'acquisition, ainsi que leurs montants réels. La plupart d'entre eux sont fonction, le plus souvent, du prix d'achat du bien immobilier et dépassent rarement plus de 10 % de sa valeur.

Les ressources, les dépenses et les déductions périodiques

Ressources	Dépenses	Déductions
Salaires et traitements	Dépenses relatives aux prêts : • mensualités des différents prêts* ; • frais d'assurance vie ; • frais d'assurance chômage, de maladie, d'invalidité.	Déductions fiscales*** relatives à l'habitation principale : • déductions des intérêts des emprunts ; • réductions d'impôts pour travaux importants et isolation thermique ; • réductions pour ravalement.
Revenus d'activités professionnelles	Dépenses relatives au bien acquis : • assurance du bien immobilier ; • charges de copropriété ; • rémunération du syndic.	Déductions fiscales*** relatives à l'immobilier locatif : • concernant les revenus fonciers pour un logement ancien ; • réduction d'impôt sur le revenu pour un logement neuf.
Revenus de biens mobiliers	Taxes** : • taxe foncière sur les propriétés bâties ; • taxe d'habitation ; • taxe départementale sur le revenu ; • taxe régionale ou taxe spéciale d'équipement.	Déductions de certaines charges qui sont dues par le locataire : • droit au bail ; • taxe d'enlèvement des ordures ménagères.
Revenus de biens immobiliers (relatifs à cet achat ou à un autre)		
Rentes et pensions diverses		
Allocations familiales		
Allocation d'aide au logement		

* pour évaluer les mensualités, référez-vous au tableau qui suit.
** il faut tenir compte des exonérations relatives aux premières années d'acquisition.
*** les déductions fiscales sont toutes limitées.

Ce second tableau récapitule les futures charges périodiques auxquelles vous devrez faire face et qui devront être couvertes par vos revenus. Elles sont le plus souvent mensuelles, parfois trimestrielles ou annuelles.

Sa grande différence avec le premier tableau est d'être prévisionnel. Les dépenses présentées sont donc plus difficiles à prévoir.

Essayez d'être objectif et de ne pas surestimer l'évolution de vos revenus. Même si ceux-ci augmentent normalement, même si vous prenez en compte l'inflation pour alléger la part de vos remboursements dans votre revenu disponible, la tendance actuelle et la conjoncture sont telles que le pouvoir d'achat a tendance à stagner, voire baisser.

Il est préférable de prévoir votre budget en vous basant sur vos revenus actuels, à moins d'être parfaitement sûr que votre situation financière ne peut que s'améliorer (par exemple, si vous attendez un héritage ou un remboursement de dettes).

Pensez également que, si vos revenus augmentent, ils peuvent aussi baisser : votre famille s'agrandit et votre conjoint décide d'arrêter de travailler pour s'occuper des enfants, vous êtes relativement proche de l'âge de la retraite, etc.

À savoir !

Pour établir un tableau prévisionnel complet et le plus réaliste possible, il faut tenir compte également des déductions fiscales accordées aux propriétaires immobiliers.

Ce point important sera également abordé de façon schématique dans ce chapitre, afin de vous aider à visualiser votre budget tout au long de votre vie de propriétaire. Il sera détaillé et commenté dans les parties relatives aux différents achats possibles, à la fiscalité et aux économies d'impôt.

Pour vous aider à évaluer rapidement les mensualités de votre prêt (ce qui reste néanmoins une charge dominante et décisive), aidez-vous utilement du tableau suivant. Celui-ci indique, en fonction du taux consenti et de la durée du prêt, les mensualités de remboursement relatives à un emprunt de 10 000 euros.

Les mensualités principales de votre prêt hors assurances (en euros/mois)

Taux en %	1 an	2 ans	3 ans	5 ans	7 ans
3	846,94	429,81	290,81	179,69	132,13
5	856,08	438,71	299,71	188,71	141,34
6	860,66	443,21	304,22	193,33	146,09
7	865,27	447,73	308,77	198,01	150,93
8	869,88	452,27	313,36	202,76	155,86
9	874,52	456,85	318,00	207,59	160,90
10	879,16	879,16	322,68	212,47	166,02
11	883,82	466,08	327,39	217,43	171,23
12	888,49	470,74	332,15	222,45	176,53
13	893,17	475,42	336,94	227,53	181,92
14	897,87	480,13	341,78	232,68	187,40
15	902,59	484,87	346,66	237,90	192,97
16	907,31	489,64	351,57	243,19	198,63
17	912,05	494,42	356,53	248,53	204,36
18	916,80	499,24	361,52	259,93	210,18
19	921,57	504,09	366,56	259,41	216,08
20	926,35	508,96	371,64	264,94	222,06

Taux en %	10 ans	12 ans	15 ans	18 ans	20 ans
3	96,56	82,78	69,06	59,97	55,46
5	106,07	92,49	79,08	70,30	66,00
6	111,02	97,59	84,39	75,82	71,64
7	116,11	102,84	89,88	81,55	77,53
8	121,33	108,25	95,57	87,50	83,64
9	126,68	113,81	101,43	93,64	89,97

Taux en %	10 ans	12 ans	15 ans	18 ans	20 ans
10	132,16	116,51	107,47	99,98	96,50
11	137,75	125,36	113,66	106,51	103,22
12	143,48	131,35	120,02	113,20	110,11
13	149,31	137,46	126,52	120,04	117,16
14	155,27	143,71	133,17	127,04	124,35
15	161,34	150,09	139,96	134,17	131,68
16	167,52	156,59	146,87	141,43	139,13
17	173,80	163,19	153,90	148,80	146,68
18	180,19	169,91	161,04	156,27	154,34
19	186,67	176,74	168,29	163,84	162,07
20	193,26	183,66	175,63	171,49	169,88

Ce tableau vous permet d'avoir une première approximation de vos dépenses et de vos mensualités de remboursement.

Vous pourrez affiner vos calculs lorsque vous saurez précisément à quel type de crédit vous pouvez prétendre (donc vous saurez également le montant, la durée et le taux de celui-ci).

À savoir !

La mise en place de votre budget prévisionnel ne sera pas complète, si vous ne faites pas attention aux dates auxquelles vous devrez effectuer les différents versements que requiert votre acquisition.

En effet, on vous demandera rarement de tout régler en une seule fois, à une même date. Aussi, pour ne pas débloquer trop tôt des sommes placées sur un compte rémunéré, et perdre ainsi des intérêts, pour ne pas vendre des actions, des Sicav ou des bons avant leur échéance, au mauvais moment, préparez soigneusement votre échéancier de paiement. Ne négligez pas non plus les petites sommes à régler, car elles finissent par s'ajouter rapidement.

De même, pour les gros montants, ne demandez pas à votre banquier ou à votre organisme de crédit de débloquer plus tôt que nécessaire un ou plusieurs crédits. Vous commencerez à payer des intérêts dès le premier déblocage.

Pour certains types de prêts, certains établissements bancaires vous feront payer d'emblée des intérêts sur la totalité du montant du crédit, même si vous n'en avez besoin que d'une partie et même si on débloque uniquement la partie nécessaire.

Préparez soigneusement cette **période transitoire**, parfois difficile à vivre financièrement, quel que soit le type d'achat auquel vous devrez faire face. Pendant cette période, vous commencez à payer des intérêts ou des mensualités sur les sommes avancées et vous devez simultanément faire face aux dépenses occasionnées par votre habitation actuelle, que ce soit des loyers, des charges ou des remboursements de mensualités.

Cette période transitoire peut être parfois assez longue, si vous achetez sur plan ou si vous faites construire. Elle peut durer de un à deux ans, sans compter les retards éventuels dus au promoteur, à l'architecte, à la délivrance des permis nécessaires, etc.

Inspirez-vous utilement du tableau suivant pour bâtir votre échéancier de paiement, et bien prévoir le déblocage des sommes nécessaires.

Idéalement, vous débuterez ce tableau qui est prévu mois par mois, le plus tôt possible, dès la première dépense relative à l'achat immobilier, et l'arrêterez deux à trois mois après l'emménagement final car, à ce moment-là, il existe toujours des dépenses à programmer qui risquent d'entamer votre budget, si vous ne les prévoyez pas. Ne serait-ce que les dépenses d'aménagement, les petits travaux imprévus ou les frais de restaurant car la cuisine n'est pas prête ou les livraisons ont pris du retard...

Échéancier des paiements de la période transitoire

Dépenses / Mois	1	2	3	4	5	6	7	8	9	10
Loyer	X	X	X	X	X	X	X	X	X	X
Frais de rédaction de la promesse de vente	X									
5 % de réservation	X									
Frais de dossier du prêt principal	X									
Frais de dossier pour les prêts complémentaires	X									
Travaux divers non prévus au contrat						X	X	X	X	
Branchements divers				X						X
Taxe foncière		X								
Choix d'une cuisine équipée		X						X		
Paiement des intérêts			X	X	X	X	X	X	X	X
Remboursements des mensualités				X	X	X	X	X	X	X
Frais de garde-meuble									X	
Frais d'emménagement									X	
Frais de déménagement										X
Provision pour frais de notaire, etc.		X								
Total	X	X	X	X	X	X	X	X	X	X

Il existe un autre problème, fréquemment rencontré, auquel vous devrez prêter attention pour passer cette période sans dommages. Lorsque vous êtes propriétaire de votre logement actuel, que vous comptiez le vendre pour financer une partie ou la totalité de votre nouvelle acquisition, la vente peut se faire beaucoup plus lentement que prévu. En attendant, il faut commencer à régler les dépenses relatives au nouvel achat.

Une forme particulière de prêt existe pour pallier ce problème : le prêt relais (partie réservée aux prêts).

Évaluez votre capacité d'endettement

Afin d'ajuster votre projet à vos possibilités financières, de ne pas vous retrouver étranglé au bout de quelques mensualités et de pouvoir faire face à vos engagements, prévoyez un endettement qui vous permette de continuer « à vivre ».

« Vivre bien » est une notion très personnelle et cette expression a des significations et des implications différentes, selon les individus. Pour certains, elle veut dire aller au restaurant deux fois par semaine, pour d'autres, passer impérativement des vacances dans des pays lointains, pour d'autres encore, avoir la possibilité de faire des randonnées avec des amis.

Quelles que soient vos habitudes de consommation et de dépenses familiales, vous pouvez économiser et faire un peu plus attention que vous n'en aviez l'habitude avant votre achat immobilier. Mais ne tablez pas sur une remise en compte totale de vos habitudes et de votre façon de vivre. Vous « tiendrez le coup » un certain temps, peut-être assez longtemps, mais vous risquez d'être frustré ou de finir par craquer. Mais il est plus logique et plus sain financièrement de ne pas vous endetter outre mesure.

Se restreindre quelque peu afin de devenir propriétaire est quelque chose que la majorité des ménages jugent réalisable, parce qu'ils pensent que le jeu en vaut la chandelle. Au bout de quelques années, lorsque le bien leur appartient en totalité, ils en sont fiers.

De toute façon, les organismes de prêts divers ont leurs ratios et leurs critères de sécurité pour évaluer votre capacité à vous endetter et à faire face à vos mensualités de remboursement et ils ne vous prêteront pas au-dessus de vos moyens. Aussi, à cette étape de décision, il est dans votre intérêt de les connaître et d'orienter votre choix immobilier en fonction de votre capacité d'endettement.

Une des méthodes d'évaluation utilisée avant de vous accorder un crédit est de calculer que vos revenus mensuels nets représentent environ trois fois vos capacités de remboursement. Ou encore que les mensualités seront au maximum de 25 à 30 % de vos revenus nets. Les ménages qui ont des revenus très importants peuvent voir cette proportion diminuer légèrement.

À savoir !

Quelle que soit l'importance de vos revenus seront pris en compte dans ces calculs les remboursements de tous les crédits que vous avez contractés, qu'ils soient à long ou à court terme.

Une autre méthode de calcul des remboursements que peut supporter un ménage sans risquer de manquer à ses engagements est celle du quotient familial. Elle est utilisée par les organismes collecteurs du 1 % logement, les CIL (Comités Interprofessionnels du Logement).

Cette méthode permet d'additionner les revenus nets, les allocations familiales et les allocations d'aide au logement. On déduit ensuite du total obtenu le montant des mensualités de remboursement ainsi que les charges rattachées au logement. Puis la somme obtenue est divisée par le nombre de personnes vivant dans le foyer. Le minimum autorisé qui doit rester disponible est de 18 euros par jour et par personne.

EXEMPLE

Capacité d'endettement maximale

Un couple avec deux enfants qui perçoit des revenus mensuels nets de 3 000 euros et qui a un logement lui occasionnant des charges de logement de 120 euros/mois, peut avoir au maximum des mensualités de remboursement de 1 300 euros.

Si l'on se réfère aux méthodes de calcul et aux critères des établissements bancaires, qui sont nettement plus sévères, le même ménage pourra accéder à un prêt avec des mensualités de 900/1000 euros seulement.

Votre budget est établi, vous connaissez vos possibilités exactes et vous savez quelles dépenses risquent d'entraîner cet achat.

En fonction de vos possibilités financières et de vos goûts, vous allez orienter votre choix immobilier vers des alternatives différentes : Allez-vous viser un appartement neuf ou ancien ? Allez-vous habiter une maison individuelle neuve, dans un lotissement, ou une maison ancienne à retaper ? Allez-vous faire construire votre logement ?

Choisissez votre logement

Quels sont les critères de sélection d'un logement et les erreurs à ne pas commettre ?

C'est fait, vous savez ce que vous voulez, dans quel genre de logement vous pouvez et vous souhaitez habiter. Il ne vous reste plus qu'à vous mettre en chasse et à trouver le logement idéal pour vous et votre famille.

Pour vous aider dans cette sélection et pour ne pas laisser de côté des points qui sont très importants lorsque vous choisissez un logement, nous attirons votre attention sur les critères de sélections suivants. Certains d'entre eux sont également valables, lorsque vous choisissez un logement en location.

Une situation adaptée à vos besoins

C'est une question primordiale à beaucoup de points de vue et il s'agit d'y faire très attention. Prenez votre temps et surtout celui de bien découvrir la région dans laquelle se trouve le logement pour analyser son avenir, son développement futur, que ce soit du point de vue social, culturel, économique ou urbanistique.

Si l'environnement de votre logement est très important pour votre qualité de vie, il est également primordial pour sa bonification. En effet, si des travaux d'aménagement et de rénovation sont prévus dans le quartier, ils influenceront fortement sur sa valeur et sur son prix ; si vous êtes amené un jour à la revente, vous serez bien heureux d'avoir réalisé cette affaire. Aussi renseignez-vous pour savoir ce qui est prévu dans les abords immédiats de votre logement, c'est-à-dire des travaux de voirie, d'éclairages publics, l'extension d'une ligne de métro ou de RER, l'élargissement de la rue, la création d'espaces verts, de complexes scolaires, etc.

Vous connaissez également les commodités offertes par la région où se trouve le logement, le cadre de vie qui y règne ; évaluez-les en fonction de vos habitudes de vivre, du trajet que vous devrez effectuer pour vous rendre à votre lieu de travail et de vos attentes. Bref, interrogez-vous et interrogez les autres pour savoir comment sera votre vie au quotidien, si vous achetez ce logement.

Les cartes et les guides

Les cartes et les guides sont une première mine de renseignements, si vous orientez votre choix vers une région que vous ne connaissez pas. Ils vous permettront d'avoir rapidement une vue d'ensemble de la région, des accès routiers, des réseaux prévus pour l'avenir, des espaces verts et des régions avoisinantes, lesquelles peuvent déterminer l'évolution du quartier de votre habitation. Interrogez les organismes officiels (leur adresse est donnée en annexe) ; ils vous informeront efficacement sur les différents points qui vous intéressent particulièrement.

Les organismes publics

Les Directions Départementales de l'Équipement (DDE), les Associations Départementales d'Information sur le Logement (ADIL) et les Services Conseils Logement (SCL) vous fourniront une foule de renseignements. Ils offrent presque tous un centre de documentation d'accès libre.

Dans les mairies, vous pourrez consulter un grand nombre de documents qui vous renseigneront sur l'avenir du quartier et sur celui de votre logement :

- le Plan d'Exposition aux Risques naturels prévisibles (PER) ;
- les Plan d'Occupation des Sols (POS) ;
- les cartes communales.

Consultez les registres de la mairie et le POS pour ne pas avoir de mauvaises surprises.

Le quartier, la région, sont-ils pollués ? Là aussi, le POS pourra vous renseigner utilement pour savoir s'il n'existe pas près de l'habitation visée une industrie, une décharge, un élevage pouvant causer des nuisances.

Enfin, situation beaucoup plus rare, vous devez vérifier si le logement est situé dans une zone à risques naturels (voir certificat d'urbanisme).

L'environnement proche

Lors de vos visites sur le site, parlez avec les habitants de l'immeuble (s'il s'agit d'un appartement), le gardien, les voisins et les commerçants. Ils vous fourniront des informations très utiles et très pratiques sur la vie quotidienne et sur la localisation de votre éventuel logement.

L'environnement est à étudier avec attention pour voir si les commodités offertes vous conviennent et si une certaine qualité de vie est assurée.

Parmi les questions que vous devez vous poser, citons-en quelques-unes :

- est-ce que la présence de commerçants, de marchés, de grandes surfaces est assurée ? À quelle distance ?
- où se trouvent les services médicaux indispensables (pharmacie, médecins, dispensaires, hôpitaux) ? Sont-ils à une distance rassurante ?
- les services administratifs et pratiques – tels la gendarmerie, la mairie, les écoles, les universités, les crèches – sont-ils assurés, de bonne qualité, à une distance compatible avec vos besoins ?
- si vous cherchez à habiter une ville, les espaces verts sont-ils disponibles, accessibles et suffisants ?
- le quartier est-il bien desservi, accessible facilement ? Quels sont les moyens de transport que vous allez utiliser et que vos enfants vont utiliser ? Le secteur est-il bien desservi par les transports en commun (trains, bus, métro, RER, etc.) ? Quel est l'état du réseau routier ? Est-il compatible avec vos besoins et avec votre utilisation de la voiture ?
- le logement est-il calme ? Attention ! Il peut très bien l'être au moment de la visite, ou encore au moment de l'achat, mais les choses peuvent se modifier avec de grands travaux de construction. En effet, la construction d'une bretelle d'autoroute, d'une voie ferrée ou d'un aéroport peuvent être prévues. De même, certaines régions d'habitation saisonnière peuvent devenir très bruyantes à certaines périodes de l'année.

Une disposition répondant à vos attentes

Il convient de faire attention à plusieurs points et d'avoir de bons réflexes qui vous éviteront bien de surprises.

Au milieu de la journée, aux heures de bureau, un immeuble est toujours calme. Si, de plus, il y a un rayon de soleil, tout vous paraîtra plus beau. Visitez le logement une deuxième fois le soir vers vingt heures, quand tous les habitants sont rentrés et qu'il fait bien gris, vous aurez peut-être une autre vision de l'appartement. L'idéal est de le visiter une troisième fois, le week-end si possible, pour juger parfaitement du niveau sonore. Toutefois, évitez les jours fériés et les vacances scolaires où les habitants risquent d'être absents.

Dans cette période de prospection, vous visitez souvent plusieurs appartements à la suite. Aussi, pour ne pas tout mélanger, munissez-vous d'un crayon et d'une feuille lors de vos visites pour griffonner hâtivement le plan de chaque logement avec la taille et l'orientation de chaque pièce. Vous pouvez même idéalement vous munir d'un appareil photo.

Vérifiez le nombre de mètres carrés annoncés et mesurés pour être sûr de pouvoir loger vos meubles dans les pièces. Sinon, vous serez obligés de vendre des meubles et d'en racheter et cela serait à comptabiliser dans les frais supplémentaires.

Lorsque vous évaluez un logement, raisonnez également en investisseur, appréciez la qualité de la construction, les matériaux utilisés, l'isolation thermique et phonique, le voisinage, la vue, etc.

Ayez à l'esprit, pour vous décider, qu'un immeuble habité par des propriétaires est généralement mieux entretenu que celui qui est occupé par des locataires.

Renseignez-vous pour connaître la situation immobilière des habitants d'un immeuble. Le président du conseil syndical, le concierge et le gardien fourmillent de renseignements.

Mais surtout prenez votre temps pour juger et évaluer les différents éléments qui entrent en jeu, même si votre interlocuteur vous presse et vous dit qu'il a plusieurs personnes sur l'affaire.

Voilà, c'est finalement fait ! Après un long parcours, vous avez trouvé ce qui vous convient, en fonction de vos possibilités financières, de vos goûts et des éléments de réflexion cités plus haut. Il ne reste plus qu'à officialiser votre désir d'achat et la volonté qu'a votre interlocuteur de vous vendre le logement.

Chapitre 2

Les différents types d'achats

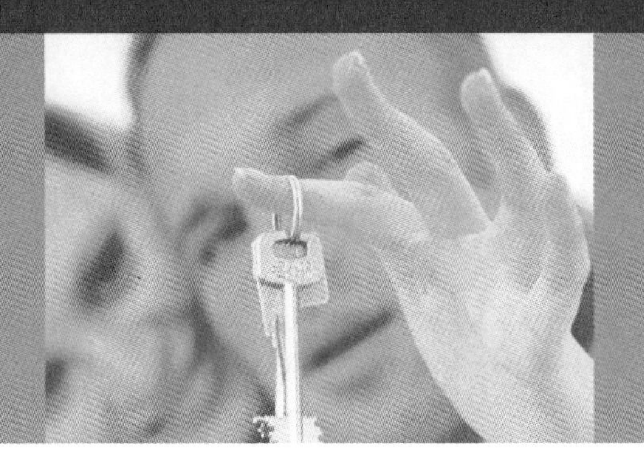

Vous avez pris la décision d'acheter un bien immobilier. Les décisions que vous devez prendre ne s'arrêtent pas là. Il faut aussi savoir quelle forme va prendre cet achat et vers quel genre de bien vous allez vous orienter.

Pour vous permettre de bien cerner les possibilités qui s'offrent à vous, nous allons passer en revue les différentes formes d'acquisitions auxquelles vous pouvez prétendre en tant qu'investisseur privé.

Selon votre façon de vivre, vos disponibilités financières, vos habitudes d'achat, le patrimoine immobilier que vous possédez déjà, le fait que vous désiriez réaliser un investissement locatif, vous vous orienterez vers une forme particulière d'acquisition immobilière.

Dans la plupart des cas, surtout s'il s'agit de votre premier achat, vous vous orienterez vers une résidence principale. Les personnes qui possèdent déjà une résidence principale choisiront d'acheter une résidence secondaire. Celles qui ne disposent pas de moyens financiers suffisants pour acheter une résidence principale feront de même ; la résidence principale étant toujours envisagée plus spacieuse et plus confortable, donc plus onéreuse.

Mis à part la distinction entre résidence principale et secondaire, il existe plusieurs façons d'accéder à la propriété.

L'achat en copropriété

Acheter en copropriété est l'achat le plus fréquent. Il est plus facile et moins onéreux d'acheter un appartement que d'acheter ou de faire construire une maison individuelle, bien que cette deuxième façon de se loger reste la première dans le cœur des Français.

Lorsque vous achetez en copropriété, vous devenez propriétaire d'un ou plusieurs lots qui comprennent une partie privative, votre appartement, et une quote-part des parties communes qui composent l'immeuble, les ascenseurs, les jardins, etc.

Les aspects les plus importants de la copropriété sont régis par la loi du 10 juillet 1965. Celle-ci fixe le régime de la copropriété.

Le règlement de copropriété

Le règlement de copropriété, obligatoire, définit l'organisation de la copropriété, les droits et les obligations de chaque propriétaire. Il doit être accessible à tout acheteur avant la signature du contrat d'achat. Celui-ci n'a pas la possibilité de le discuter, il doit l'accepter tel quel.

Toutefois, il est possible de modifier le règlement de copropriété par décision de l'Assemblée générale des copropriétaires, à condition que la modification ne concerne pas la destination et les modalités de jouissance des parties privatives.

Les copropriétaires sont rassemblés en une personne morale, qui est le syndicat des copropriétaires.

Peut-on faire modifier le règlement de copropriété ?

Les copropriétaires, sous réserve des autorisations administratives, peuvent, par exemple, faire fermer leurs balcons. Mais, si le règlement de copropriété interdit la transformation des balcons ou des terrasses privatives en vérandas, les copropriétaires concernés sont tenus de demander au syndic d'inscrire la question à l'ordre du jour de l'Assemblée générale ou de demander une Assemblée générale extraordinaire, si l'Assemblée a déjà eu lieu. Un article du règlement de copropriété ne peut en effet être modifié que par décision de l'Assemblée générale, après vote (à la majorité des millièmes) des copropriétaires présents ou représentés.

Une réserve toutefois, les copropriétaires évitent la plupart du temps de modifier ce règlement, car il contraint la copropriété à repasser devant notaire pour le faire authentifier. L'Assemblée générale préfère donner son accord ponctuellement. C'est le cas notamment des paraboles, où l'Assemblée prend en général la décision de faire poser une parabole collective sur le toit de l'immeuble pour éviter l'encombrement des façades. Dans ce cas, le coût est pris en charge par l'ensemble des propriétaires, au prorata du nombre de millièmes de chacun.

L'Assemblée générale

Les copropriétaires, en Assemblée générale, élisent un conseil syndical qui a en charge la gestion de l'immeuble et de son entretien et qui les représente auprès du syndicat. Le mandat du syndicat, représenté par le syndic, est renouvelé lors de l'Assemblée générale annuelle, au moment de l'approbation des comptes de la copropriété.

Dans le cas d'immeubles neufs, la première Assemblée générale est organisée par le promoteur, les suivantes par le syndic.

Les modalités de l'Assemblée

L'Assemblée générale ordinaire doit avoir lieu une fois par an. La convocation est adressée nominativement à chaque copropriétaire, au minimum 15 jours avant la tenue de celle-ci, par lettre recommandée avec accusé de réception.

La convocation précise le lieu et l'ordre du jour. Elle est accompagnée des comptes annuels de la copropriété et, en cas de travaux prévus, des différents devis demandés par le syndicat. L'Assemblée ne peut voter que sur les points qui sont inscrits à l'ordre du jour. Tout copropriétaire, par l'intermédiaire du conseil syndical, peut demander l'ajout d'un point, qu'il souhaite voir traité, à cet ordre du jour.

Le jour de l'Assemblée, une fois le quorum atteint, le syndic ouvre la séance. Il nomme le président de séance, un scrutateur et un secrétaire. Souvent, le syndic joue le rôle du secrétaire car c'est lui qui rédige le procès-verbal.

Une fois rédigé, le procès-verbal est envoyé au président et au scrutateur qui le valident. Le syndic, seulement après cette validation, l'envoie à tous les copropriétaires, dans un délai de deux mois suivant l'Assemblée.

Les actions judiciaires visant à contester les décisions de l'Assemblée doivent également être engagées dans un délai de deux mois suivant la notification du procès-verbal, sous peine de forclusion.

À savoir !

Le dernier point de l'ordre du jour de l'Assemblée générale concerne habituellement les questions diverses, qui donnent lieu à discussion ou à une information générale de l'ensemble des copropriétaires, mais en aucun cas à un vote.

Le vote

Selon l'importance des points à traiter, la loi a prévu trois degrés de majorité pour la prise des décisions en Assemblée générale :

- la **majorité simple,** ou majorité de l'article 24, qui correspond à la majorité des copropriétaires présents ou représentés, concerne en général des décisions relatives à l'administration de l'immeuble ;

- la **majorité absolue,** ou majorité de l'article 25, qui correspond à la majorité des voix des copropriétaires, est nécessaire pour les décisions déterminantes pour la copropriété ;
- la **majorité double,** ou majorité de l'article 26, qui correspond à la majorité obtenue par les membres du syndicat représentant les 2/3 des voix.

La majorité absolue est indispensable dans certains cas

Cas	Exemples
autoriser certains propriétaires à effectuer, à leurs frais, des travaux affectant les parties communes de l'immeuble	les personnes dégradant les parties communes en cas de travaux dans leur appartement
désigner ou révoquer le syndicat	tous les copropriétaires sont responsables du choix d'un syndic, même si c'est le conseil syndical qui travaille avec lui en direct
élire les membres du conseil syndical	un copropriétaire qui ne fait pas l'unanimité ne pourrait pas représenter la copropriété
établir les modalités de réalisation et d'exécution de travaux rendus obligatoires, en vertu de dispositions législatives ou réglementaires	la mise aux normes européennes des ascenseurs, de l'installation électrique, etc.
la modification de la répartition des charges relatives aux services collectifs et aux éléments d'équipement commun, rendue nécessaire par la modification de l'usage de l'une ou de plusieurs parties privatives	un copropriétaire peut acquérir un autre appartement dans le même immeuble ou une chambre de bonne, dans ce cas, ses millièmes augmentent, donc la répartition des charges en est modifiée
les travaux de régulation et d'équilibrage des installations de chauffage et certains travaux d'économie d'énergie ou d'accessibilité aux personnes handicapées	l'ajout de double vitrage, etc.

Lorsque la majorité absolue n'est pas atteinte, la tenue d'une assemblée extraordinaire peut être demandée par le conseil syndical. Cette assemblée statue alors par majorité simple.

L'obtention de la majorité double est nécessaire pour les décisions suivantes :

- les actes d'acquisition immobilière et les actes de disposition non imposés par des obligations légales ;
- la modification du règlement de copropriété, dans la mesure où il concerne la jouissance, l'usage et l'administration des parties communes ;
- les travaux de transformation ou d'amélioration, ainsi que les travaux d'économie d'énergie qui ne sont pas rendus obligatoires par les dispositions réglementaires ou législatives ;
- l'installation d'un interphone ou d'un système de sécurité ;
- la décision de ne pas instituer un conseil syndical dans l'immeuble, celui-ci étant obligatoire à défaut (voir plus loin) ;

Quant à l'**unanimité**, elle est nécessaire lorsqu'il s'agit de l'aliénation des parties communes dont la conservation est nécessaire pour respecter la destination de l'immeuble.

Mais, dans aucun cas, l'Assemblée générale ne peut imposer à un copropriétaire de modifier les modalités de jouissance de ses parties privatives telles qu'elles sont définies dans le règlement de copropriété.

Le conseil syndical

Le conseil syndical, bénévole, a la charge d'assister et de contrôler le syndic dans sa tâche de gestion et d'administration de l'immeuble.

Il est formé par des copropriétaires volontaires, au minimum trois, élus par vote lors de l'Assemblée générale, à la majorité simple des voix des copropriétaires. Dans votre intérêt, il est utile de choisir des membres du conseil syndical avec des profils et des connaissances complémentaires : un architecte, un comptable, etc. Les membres du conseil syndical désignent à leur tour le président du conseil syndical et la durée de sa présidence, en principe identique à celle du conseil syndical (trois ans maximum).

En principe, les membres du conseil syndical peuvent engager leur responsabilité en cas de faute grave ou de négligence : s'ils ont, par exemple, connaissance d'une fraude de la part du syndic et qu'ils « laissent faire ». En fait, leur responsabilité est rarement engagée, vu que ce sont des bénévoles et qu'il est de leur intérêt de copropriétaires d'exercer un contrôle actif sur le syndic.

La loi rend la mise en place du conseil syndical obligatoire. Toutefois, il est possible de décider par Assemblée générale de ne pas en avoir, à condition que cela soit accepté par une majorité double des copropriétaires, représentant deux tiers des votes. Cela peut être tentant pour les petites copropriétés. Cependant, il est dans l'intérêt des copropriétaires d'avoir un conseil syndical car il constitue le dernier recours avant le Tribunal de Grande Instance, si le syndic manque à convoquer l'Assemblée générale.

Lorsque les copropriétaires n'arrivent pas à se mettre d'accord et à élire un conseil syndical, cela doit être stipulé dans un procès-verbal qui est adressé à tous les copropriétaires, dans un délai d'un mois après la tenue de l'Assemblée.

En Assemblée, le vote à la majorité simple permet de décider à partir de quel montant de travaux l'approbation du conseil syndical est nécessaire ; en dessous de ce montant, le syndic est autorisé à engager les travaux sans en référer au conseil syndical. Il est possible aussi de confier au conseil syndical le contrôle de certains travaux ou des missions précises. Cela évite de réunir des assemblées générales trop fréquentes qui, d'une part, sont onéreuses et, d'autre part, sont contraignantes. Ce pouvoir conféré au conseil syndical, à défaut de nullité, doit être consigné dans le procès-verbal de l'Assemblée générale.

Une des missions importantes du conseil syndical est de vérifier les comptes présentés par le syndic avant la tenue de l'Assemblée. Il convient de contrôler la gestion du syndic, avant le vote du quitus, qui a lieu en Assemblée. Il faut éplucher les devis, les factures, l'état comptable, le compte bancaire du syndicat des copropriétaires et comparer l'état des comptes par rapport aux années précédentes.

Le conseil syndical décide, en concertation avec le syndic, de l'ordre du jour de l'Assemblée générale. Il contrôle également que celui-ci convoque les copropriétaires aux Assemblées. Sinon, il doit lui en faire la demande par écrit. Si le syndic persiste à ne pas les convoquer, il y a carence.

Le syndic : bénévole ou professionnel ?

Le syndic peut être un bénévole, dans ce cas, c'est souvent l'un des copropriétaires. Mais, généralement, il s'agit d'une société de gérance professionnelle. Il est dans l'intérêt des copropriétaires de choisir un professionnel car la tâche est difficile, surtout lorsqu'il s'agit de faire face à des vices et à des malfaçons dans le logement.

Il est également plus rentable d'avoir recours à un professionnel lorsque les taches sont nombreuses, comme c'est le cas lorsque l'immeuble regroupe plus de dix copropriétaires.

Les honoraires du syndic sont libres. Les deux parties peuvent donc conclure tout type d'accord lors de l'Assemblée générale. En principe, le syndic est rémunéré en partie selon un pourcentage sur les travaux réalisés et les dédommagements et réparations obtenus lors d'actions judiciaires. Si le syndic est architecte, il perçoit 2 à 3 % de plus sur le montant des travaux engagés. Sinon, il engage un architecte, dans le cas de gros travaux, qui est rémunéré par la copropriété.

Le syndic facture également des honoraires pour la gestion d'un compte bancaire au nom de la copropriété. De même, l'organisation et la présence aux réunions du conseil syndical et à l'Assemblée générale donnent lieu à des honoraires.

La tenue d'une Assemblée générale est prévue dans les honoraires du syndic. Toute assemblée supplémentaire est payante. De même, si elle a lieu dans les locaux du syndicat ou dans une autre salle, la location des locaux est facturée aux copropriétaires, d'où l'intérêt qu'elle ait lieu dans la copropriété.

Le syndic est élu lors de l'Assemblée générale à la majorité absolue des voix. La durée du mandat peut être d'un ou de trois ans. Cependant, le syndic peut être révoqué avant la durée du mandat lors d'une Assemblée extraordinaire. Là aussi, l'accord des copropriétaires est nécessaire selon la majorité absolue lors d'une première convocation et d'un premier vote. Sinon, la majorité simple est suffisante pour une deuxième convocation.

De même, le mandat du syndic ne peut être reconduit sans la majorité absolue des copropriétaires.

La protection des copropriétaires

Plusieurs lois ont successivement réglementé la profession de syndic. Ainsi, pour pouvoir exercer cette profession, il faut être titulaire d'une carte professionnelle délivrée par la préfecture. L'obtention de celle-ci est conditionnée par une aptitude professionnelle et une garantie financière équivalant aux montants mis en dépôt auprès du syndic. Aussi, le syndic doit contracter une assurance civile et professionnelle.

En ce qui concerne les modalités de gestion, la loi trace les obligations suivantes. Le syndic doit :

- demander, au minimum tous les trois ans, aux copropriétaires de voter l'ouverture d'un compte bancaire au nom de la copropriété. L'Assemblée générale vote à la majorité absolue et sa décision doit être appliquée dans les six mois qui suivent ;
- mettre en place une comptabilité spécifique pour chaque copropriété, où ressortent clairement l'état de la trésorerie et l'état du compte débiteur ou créditeur de chaque copropriétaire ;

- mettre à la disposition du conseil syndical et de tous les copropriétaires les factures relatives aux charges ;
- transmettre à son successeur, s'il est démissionnaire ou révoqué, la comptabilité et les fonds disponibles, dans un délai d'un mois à partir de sa démission ou de sa révocation. Les comptes doivent être apurés (ajustés) dans un délai de deux mois.

Les charges de copropriété

Vivre en copropriété entraîne le paiement de charges communes car les parties communes et les services communs sont utilisés par tous les copropriétaires.

Le règlement de copropriété définit ces charges, qui peuvent être révisées par décision de l'Assemblée générale ou par décision judiciaire.

La **révision par assemblée générale** est possible quand les copropriétaires sont d'accord à l'unanimité. Toutefois, la majorité réduite est suffisante lorsqu'il s'agit d'une révision due à des travaux, une vente ou une modification de l'usage de certaines parties privatives.

La **révision judiciaire** est demandée lorsqu'un propriétaire estime qu'il paie plus d'un quart de plus de ce qu'il devrait payer. Il peut engager une action en révision auprès du Tribunal de Grande Instance du lieu où se trouve la copropriété. De même, si les copropriétaires s'estiment lésés parce que l'un d'entre eux paie moins d'un quart de ce qui lui incombe, ils peuvent engager une action en révision.

Dans les deux cas, la révision doit être exercée dans un délai de cinq ans après la publication du règlement de copropriété ou dans les deux ans qui suivent la première mutation à titre onéreux (vente) après cette publication. Le Tribunal reste seul juge pour ordonner les modifications, qui peuvent être différentes de celles demandées par le plaignant.

Pour permettre au syndic de prévoir le bon fonctionnement de la copropriété, celui-ci peut demander une avance de fonds de roulement ou une provision en début d'exercice. Si elle est prévue par le règlement de copropriété, elle ne peut pas excéder la moitié du budget prévisionnel de l'exercice, sinon elle ne peut pas excéder le quart de celui-ci.

Si des travaux spéciaux sont prévus, une avance peut également être demandée aux copropriétaires.

Il existe deux catégories de charges, les charges générales et les charges spéciales ; les deux font l'objet d'un décompte trimestriel qui est envoyé à chaque copropriétaire.

Les charges générales

Les charges générales concernent la conservation en bon état, l'entretien et l'administration de la copropriété. Elles comprennent les gros travaux relatifs aux parties communes, comme les ravalements, certains impôts locaux et les honoraires de syndic (voir plus haut pour les modalités de leur fixation). Les charges générales sont réparties entre les copropriétaires en fonction du nombre de millièmes affectés à chaque lot. Elles sont fixées par le règlement de copropriété, pour chaque lot en tantièmes, en tenant compte de la superficie générale et en fonction de la situation de chaque lot, étage, exposition, vue, tranquillité, etc. Ces paramètres font que deux lots de surfaces identiques peuvent entraîner des charges différentes.

Les copropriétaires qui possèdent uniquement des lots relatifs aux emplacements de parkings ne profitent pas de tous les services communs à la copropriété. Selon les règlements de copropriété, pour pallier cela, deux solutions sont généralement prévues :

- dans le premier cas, ils contribuent uniquement à 50 % des tantièmes de copropriété pour les charges relatives à l'éclairage et à l'entretien des parties communes ;
- dans le second cas, ils doivent régler uniquement certaines catégories de charges.

Aussi, il convient de faire attention à l'examen du règlement de copropriété lorsque vous achetez un parking.

Les charges spéciales

Les charges spéciales ont pour objet le règlement des services communs, comme les salaires des concierges, le nettoyage, le gardiennage, l'entretien et le fonctionnement des équipements collectifs communs (chauffage, ascenseur, etc.). Ils sont dus par les copropriétaires en fonction de leur degré d'utilité par rapport au lot. Par exemple, un lot situé au rez-de-chaussée n'est pas redevable de charges relatives à l'ascenseur.

La notion d'utilité est une notion objective et les charges sont dues, même si vous êtes absent et que vous n'occupez pas le logement.

De même, l'obligation de payer les charges ne peut faire l'objet d'aucune dispense. Si vous ne payez pas, le syndic peut intenter une procédure de recouvrement qui peut conduire à la vente judiciaire de votre lot.

L'achat en lotissement

Vivre en lotissement s'apparente à la vie en copropriété, avec une gestion et des obligations plus importantes de la part des acquéreurs, et cela dès que le lotissement est réalisé et commercialisé. Les acquéreurs sont presque toujours obligés de s'impliquer dans la gestion des espaces communs, comme la voirie, les espaces verts, l'éclairage, les équipements collectifs, les locaux techniques, etc. Cette obligation de gérer et d'entretenir le lotissement selon la quote-part de son achat, avant même d'être résident du lotissement, constitue la grande différence avec la copropriété d'un immeuble.

La gestion d'un lotissement débute avant l'occupation de la maison et avant même sa construction.

Pour mener efficacement cette gestion, trois solutions sont prévues par la loi, dont une est réservée aux petits lotissements. Le but est de gérer et d'entretenir les terrains et les équipements communs, en attendant que les premiers soient rendus à leur destination principale, l'habitation, et les seconds transférés à la commune.

L'association syndicale des propriétaires de lots

La première solution est l'association syndicale des propriétaires de lots : c'est la solution la plus fréquente, surtout lorsqu'il existe des équipements communs qui sont prévus pour le lotissement. Le lotisseur, lorsqu'il dépose sa demande d'autorisation de lotir, doit prévoir sa création. Elle a pour but d'acquérir, de gérer et d'entretenir les terrains et les équipements communs et de prévoir la cession éventuelle de ces derniers à une personne morale de droit public, qui est le plus souvent la commune où se trouve le lotissement.

Le lotisseur s'engage à provoquer une assemblée générale, sinon chacun des propriétaires a la possibilité de le faire. Le lotisseur et les membres de l'association (les propriétaires) sont responsables des dépenses de gestion et d'entretien des équipements communs.

Les autres formes de gestion

Lorsque le nombre d'immeubles prévus à la construction n'est pas supérieur à cinq, il n'est pas indispensable de créer une association syndicale. Il suffit que les équipements communs soient attribués en propriété divise ou indivise aux propriétaires de lots. La propriété indivise, plus logique, est préférable : chaque acquéreur de lot devient propriétaire, proportionnellement à sa quote-part, d'une partie des équipements communs.

Il n'est pas nécessaire de constituer une association syndicale lorsque le lotisseur, lors de sa demande d'autorisation de lotissement, a prévu le transfert des équipements communs à la commune, une fois les travaux finis. Cette solution reste de loin la plus avantageuse pour les acquéreurs, mais elle n'est pas très fréquente car les communes préfèrent souvent ne pas s'engager à accepter le transfert dès le dépôt de l'autorisation de lotissement.

Elle est également impossible lorsque certains équipements collectifs sont destinés à rester la propriété des acquéreurs de lots.

La multipropriété

Elle est également connue sous le nom de nouvelle propriété ou de propriété spatio-temporelle. Ses modalités ont été réglementées par la loi du 06/01/1986.

Son principe est différent de celui d'une acquisition classique : vous ne devenez pas propriétaire d'un logement, mais vous achetez des parts ou des actions d'une société propriétaire d'un immeuble. Vous devenez alors associé et, en contrepartie, vous pouvez bénéficier du droit d'utiliser un logement pour une période déterminée de l'année. Cette forme particulière d'acquisition est surtout fréquente dans les régions touristiques, comme le bord de mer et les stations de sports d'hiver.

Cette solution peut être avantageuse lorsque vos disponibilités financières ne vous permettent pas d'acquérir une résidence secondaire « à temps complet ». Elle est également intéressante lorsque vous n'en avez pas l'utilité. En effet, de nombreuses personnes n'utilisent leur résidence secondaire que quelques semaines par an, au maximum un mois ; ou encore elle se sentent « liées » par leur résidence secondaire et aimeraient changer plus souvent de destination lors de leurs vacances.

Avec cet achat, vous payez uniquement pour la période durant laquelle vous comptez utiliser le logement.

Certains ménages choisissent de cumuler plusieurs périodes d'occupation durant l'année. D'autres acquièrent des parts dans des résidences de loisirs qui correspondent par exemple à une semaine en hiver à la montagne et deux semaines en été au bord de la mer.

L'acte de vente

Il s'agit d'un acte de cession de parts de société. Il peut être signé sous seing privé ou chez le notaire, ceci n'étant pas obligatoire. Afin de mieux vous protéger, il est toutefois préférable de le signer devant notaire.

L'acte de vente mentionne obligatoirement la localisation de l'immeuble, la période durant laquelle vous pouvez jouir de l'appartement, la description de celui-ci, le prix à payer et le nombre de parts vendues. Il indique également la situation comptable du vendeur. Au moment de la signature de l'acte vous sont remis le règlement de jouissance, les statuts de la société et le tableau de répartition des parts.

Si vous achetez des parts avant l'achèvement de l'immeuble, qu'il soit en cours de construction ou de restauration, la société doit vous fournir certaines garanties :

- la garantie de bon achèvement qui peut prendre la forme d'un contrat de promotion immobilière ou d'un contrat de vente en l'état futur d'achèvement ;
- la garantie de pouvoir pallier le risque de non-paiement de certains associés lors des appels de fonds nécessaires à l'acquisition, la construction ou la restauration de l'immeuble.

Ces différentes garanties doivent figurer dans l'acte de vente.

L'organisation de la société de l'immeuble

La société est formée, selon les cas, pour la construction ou pour l'acquisition de l'immeuble. Si le contrat de cession de parts n'est pas signé nécessairement chez le notaire, en revanche, le contrat de vente d'immeuble à construire ou de cession d'immeuble à la société est obligatoirement déposé chez un notaire. La forme juridique que peut revêtir cette société est relativement libre : ce peut être une société civile, une société coopérative ou une société anonyme. Quelle que soit la forme juridique adoptée, la loi a fixé la responsabilité des actionnaires au montant de leur apport et les créanciers de la société ne peuvent pas les poursuivre au-delà de ce montant.

Les gestionnaires et les représentants de la société sont désignés par les associés au cours de l'assemblée générale. De même, leur révocation est décidée par assemblée générale, lorsque les voix des associés qui votent cette décision représentent plus de la moitié des parts.

Le fonctionnement

Chacun des associés occupe l'appartement qui est décrit dans le contrat de cession de parts pendant la période pour laquelle il est acquis. En effet, la multipropriété donne le droit à l'acheteur de jouir d'un appartement une période de l'année, pendant une durée déterminée, en général 99 ans. Cela signifie que, à un certain moment, les héritiers ne peuvent plus utiliser le logement.

Certaines sociétés peuvent se charger de louer le logement pour la période concernée ou d'organiser un échange de périodes entre les différents associés.

Les représentants de la société, élus par les associés, ont la responsabilité d'organiser une assemblée générale qui est au minimum annuelle. La convocation, envoyée par lettre recommandée avec accusé de réception, comporte l'ordre du jour. Seuls les problèmes qui y sont évoqués peuvent faire l'objet d'un vote.

Les règles de majorité requises varient en fonction de la nature du problème. Ainsi, les questions relatives à la gestion et à l'entretien de l'immeuble sont prises à la majorité des voix de tous les associés. Certains travaux, tels les travaux d'amélioration ou d'acquisition d'un bien, sont soumis à une règle de majorité double, c'est-à-dire qui représente deux tiers des voix des copropriétaires, ou associés.

Pour obtenir une réunion d'assemblée générale extraordinaire, il est nécessaire d'avoir l'accord d'1/5e des parts des associés. Les associés qui désirent se faire représenter lors d'une assemblée générale doivent donner leur pouvoir à une personne qui est propriétaire d'une période identique, afin de défendre des intérêts semblables.

Les associés doivent respecter la destination du logement dont ils jouissent et ne peuvent pas y opérer de modifications. Ils doivent se conformer aux conditions d'entrée et de sortie du local. Les frais de remise en état, lorsqu'il y a détérioration ou perte, étant supportés par le propriétaire sortant.

Les charges de multipropriété

Il existe plusieurs catégories de charges dont vous devrez vous acquitter. Les charges relatives à l'entretien et à l'administration des parties communes, ainsi que celles relatives au fonctionnement de la société, sont réparties entre les différents sociétaires au prorata des parts acquises.

Les charges qui concernent les services collectifs sont réparties selon l'utilité que ces services représentent pour chacun des logements. La caractéristique première de ces charges est leur importance, surtout par rapport à la période d'occupation de l'appartement. Cela est dû au fait que vous devenez associé d'une société qu'il faut gérer et d'un immeuble à entretenir, même lorsque vous n'occupez pas les lieux.

Soyez vigilants lors de votre achat ! Dans certaines régions à caractère très saisonnier, il est souvent difficile de « remplir » les locaux toute l'année et, de ce fait, les charges qui sont réparties entre les différents associés augmentent.

De plus, les occupations multiples d'un logement le dégradent plus rapidement lors de l'entrée et de la sortie des habitants, d'où la nécessité d'employer plus de personnel pour la surveillance et l'entretien de l'immeuble, l'accueil des occupants, l'état des lieux, le nettoyage des appartements, etc. Pour toutes ces raisons, et pour éviter les mauvaises surprises, il faudra impérativement demander à consulter un état indicatif des charges, dans lequel seront précisées les charges exactes que vous devrez acquitter, en fonction de vos parts acquises et de la période d'occupation. Ainsi, si vous occupez le logement en période d'été, vous ne paierez probablement pas les charges relatives au chauffage collectif.

Si vous estimez que vous payez trop de charges, vous pouvez exercer une action en révision auprès du Tribunal de Grande Instance du lieu où se trouve l'immeuble, à condition que vous vous acquittiez de plus du quart des charges réglementaires. De même, si vous estimez qu'un des associés paie moins du quart des charges qui résulteraient d'une répartition équitable, le Tribunal fera la rectification, si elle est jugée justifiée.

Le viager

L'achat en viager est une pratique qui reste courante, malgré la réticence psychologique de nombreuses personnes. Chaque année, plus de 3 500 logements sont acquis de cette façon. Cette transaction particulière intéresse les deux parties qui peuvent réaliser, grâce à elle, une opération financière intéressante.

Le contrat signé entre les deux parties est un contrat aléatoire, l'aléa étant le décès du crédirentier, ou vendeur. Le débirentier ne jouira pleinement du droit de propriété qu'à la mort du crédirentier. Aucune formalité n'est nécessaire à ce moment-là, mis à part le fait qu'il faille en informer l'organisme chargé de percevoir les impôts locaux.

D'après le *Code civil*, la dimension aléatoire de la transaction résulte du fait qu'il s'agit « d'une convention réciproque dont les effets, quant aux avantages et aux pertes, soit pour toutes les parties, soit pour l'une ou plusieurs d'entre elles, dépendent d'un événement extérieur. »

Si ce caractère aléatoire n'existe pas, la vente peut être déclarée nulle. En effet, le viager est annulable, si le vendeur décède d'une maladie connue ou pouvant être connue par l'acheteur dans les vingt jours qui suivent la signature de l'acte de vente.

Les modalités de la vente

Le vendeur, ou crédirentier, s'assure une rente à vie après avoir touché un capital et l'acheteur, ou débirentier, devient propriétaire en déboursant, à terme et en règle général, une somme inférieure au coût d'un crédit.

Par ce contrat, les deux parties s'engagent, l'une à vendre son bien, l'autre à régler le bouquet (somme versée au comptant) et une rente périodique.

Le montant de cette rente est fixé librement par les deux parties ; le versement se fait à date fixe et pendant toute la vie du bénéficiaire. Les sommes versées sont désignées sous le nom d'« arrérages ». Dans certains cas, la rente peut prendre une autre forme, par exemple, l'entretien du vendeur durant toute sa vie ou encore d'être versée à un tiers désigné par lui.

Le risque majeur que représente le viager pour l'acheteur concerne le nombre d'années durant lesquelles il devra verser la rente au crédirentier. C'est en fonction de ce paramètre que l'achat sera avantageux ou pas.

De même, le vendeur peut gagner ou perdre en fonction de sa durée de vie.

Le bien qui fait l'objet de la transaction peut être libre ou occupé par le vendeur ; à ce moment-là, l'acheteur peut en disposer après le décès des occupants.

Il convient de faire la différence entre le droit d'usage et le droit d'usufruit que possède le vendeur. Le droit d'usufruit, en plus du droit d'habiter les lieux, permet de louer le logement vendu sans que le bail ne puisse excéder la durée de neuf ans. Le droit d'usage et d'habitation est plus réduit que le premier, car il donne seulement au vendeur la possibilité d'occuper le bien vendu. Cette seconde solution reste beaucoup plus fréquente que la première. Le débirentier la préfère souvent car elle lui offre plus de chance de devenir un jour propriétaire d'un bien immobilier libre (et non loué).

Si l'un de ces deux droits existe, le crédirentier doit régler les réparations locatives, les réparations d'entretien, ainsi que les charges de jouissance. Les charges de gros entretien sont en principe à la charge de l'acheteur.

L'abus de jouissance

L'abus de jouissance peut entraîner la déchéance du droit d'usage.

Voici quelques cas pratiques :

- le fait de cesser l'exploitation d'un jardin ;
- le manquement à l'obligation d'entretien (vitres cassées non réparées, ouvertures envahies par le lierre et la mousse, fosse septique non vidée, installation de chauffage qui ne respecte pas les normes de mise hors-gel en hiver, etc.).

Le prix de l'acquisition

Le prix de l'acquisition est fonction de deux éléments : le bouquet et la rente viagère. Il convient de faire une estimation sérieuse, car un bien immobilier sous-évalué peut entraîner l'annulation de la vente. Si le vendeur garde un droit d'usufruit ou d'usage, il faut en tenir compte dans l'estimation de la valeur du bien, dont la valeur totale peut alors être diminuée.

Le montant du bouquet

Le montant du bouquet n'est fixé par aucune règle précise. Il est en principe de 10 à 30 % de la valeur du bien en viager. Il est fixé en fonction des besoins et de l'âge du vendeur. Plus ce dernier est âgé, plus le bouquet est élevé. Mais, au-delà d'un certain seuil, l'opération ne représente plus d'intérêt pour l'acheteur.

La rente viagère

La rente viagère : le solde du prix est versé sous la forme d'une rente qui peut être, selon l'accord, mensuelle, trimestrielle ou annuelle. Celle-ci est souvent comparée au remboursement d'un crédit consenti par le crédirentier au débirentier. Son montant dépend de celui du bouquet.

La rente est déterminée en fonction de barèmes, établis en fonction de l'âge du vendeur ; les deux parties peuvent choisir librement celui qui leur convient. La rente est forcément indexée. Le choix de l'indice étant libre, plusieurs solutions sont offertes, notamment les différents indices de l'INSEE.

La rente peut être fixée sur une ou deux têtes, le plus souvent celles d'un couple, selon la volonté du vendeur.

EXEMPLE

Calcul d'une rente

Un bien immobilier a une valeur de 80 000 euros. Le bouquet demandé est de 20 000 euros. Il reste 60 000 euros, qui constituent la valeur en capital de la rente.

Le taux choisi de la rente, fixé en fonction de l'âge du vendeur, est de 11,32 %, le montant de la rente mensuelle est égal à :

- *60 000 x 11,32 % : 12 = 566 euros.*

Si la rente est fixée sur deux têtes, chacun des époux recevra 283 euros. Si l'un des deux décède, selon le contrat, l'autre perçoit 283 ou 566 euros.

Enfin, si nous tenons compte d'une indexation par rapport au coût de la vie de l'ordre de 4 % par an, au bout de 10 ans, la rente sera de 838 euros.

Les avantages pour le vendeur

Le vendeur bénéficie de conditions fiscales très avantageuses. Seule une partie des arrérages est imposable, en fonction de l'âge, au moment de la vente.

Calcul du pourcentage de la rente imposable

Si, lors du premier versement, le vendeur a :	Déclaration fiscale
moins de 50 ans	70 % de la rente
entre 50 et 59 ans	50 % de la rente
entre 60 et 69 ans	40 % de la rente
70 ans et plus	30 % de la rente

En cas de non-paiement de la rente, le vendeur peut bénéficier, à condition que cela soit stipulé dans le contrat, de la clause résolutoire : par simple lettre, il peut annuler la vente, sans avoir recours à la justice. Il bénéficie aussi du privilège du vendeur : il peut faire vendre l'immeuble et être payé en priorité sur le prix de la vente avant les autres créanciers de l'acquéreur.

Les avantages pour l'acquéreur

Les avantages sont surtout financiers. Avec un apport faible, il a la possibilité de devenir propriétaire. Bien sûr, il fait un pari sur l'avenir et sur le nombre d'années durant lesquelles il devra régler la rente viagère.

Le montant de la rente est généralement beaucoup plus faible que le remboursement d'un prêt bancaire. De nombreux spécialistes considèrent que la rente viagère correspond aux intérêts d'un crédit et que l'acheteur n'a pas à rembourser le capital, comme c'est le cas pour un prêt bancaire.

Cependant, les acheteurs peuvent avoir du mal à trouver un financement, car cet achat particulier offre peu de garanties au banquier, alors réticent à le leur accorder, faute de pouvoir prendre une hypothèque sur le bien. La solution offerte à l'acheteur peut être soit d'avoir recours au crédit épargne logement, soit d'hypothéquer un autre bien immobilier pour garantir le nouvel achat. Cette deuxième solution ne pose en principe pas de problème, car la majorité des personnes qui ont recours au viager sont propriétaires de leur résidence principale et cherchent à acheter une résidence secondaire dans la perspective de leur retraite.

La location-vente

Cette formule d'accession à la propriété, sous d'autres conditions que celles qui précèdent, permet également aux personnes qui ne disposent pas de sommes suffisantes de devenir propriétaires après une période définie de location. Ce type de contrat peut également constituer une solution lorsque l'acheteur désire « tester » le logement, son environnement et l'utilisation effective qu'il peut en avoir avant de s'engager définitivement par un achat ferme.

Il est possible de se désister et d'annuler le contrat de location-accession, moyennant le paiement d'indemnités au vendeur. Aussi, il convient de considérer le contrat comme un contrat en deux parties : la partie location et la partie achat.

La location-vente peut être financée par un prêt épargne logement, par un prêt à taux zéro ou par un prêt conventionné. Dans les deux derniers cas, il est possible au locataire accédant de bénéficier de l'aide personnalisée au logement. Celle-ci est versée dès que le locataire prend possession du logement.

Un contrat de location-vente est conclu entre le propriétaire et l'acheteur. Les termes de ce contrat engagent le propriétaire à vendre le bien immobilier loué au terme de la période de location fixée par les deux parties. En contrepartie, l'acheteur verse un loyer correspondant à l'utilisation du logement.

La vente est conclue en trois étapes :

- signature d'un contrat préliminaire de vente ;
- signature du contrat définitif de vente ;
- signature de l'acte de transfert de propriété.

La signature d'un contrat préliminaire de vente

Par ce contrat, le vendeur s'engage à réserver le logement au futur locataire acheteur, pendant une période donnée. Pour garantir cette réservation, le locataire acheteur verse au vendeur un acompte qui ne peut pas excéder 2 % du prix du bien immobilier. Cette somme reste bloquée sur un compte bancaire jusqu'à la signature du contrat définitif.

La loi réglemente la restitution de ce dépôt de garantie de la façon suivante :

- si l'acheteur dépose une demande de prêt pour son achat, le vendeur doit lui restituer le dépôt sous une durée limite de 14 jours après la demande de restitution. Après ce délai, les intérêts dus par le vendeur sont de l'ordre du taux légal majoré de moitié ;
- si l'acheteur ne contracte pas d'emprunt pour financer son achat, le vendeur doit lui restituer le dépôt de garantie dans une période limite de deux mois après la renonciation à la vente ou l'achèvement de l'immeuble.

La loi autorise l'acheteur à renoncer à l'achat dans un délai de sept jours après la signature du contrat préliminaire lorsqu'il s'agit d'un logement. En cas de résiliation du contrat, le locataire n'a plus la jouissance du logement.

La signature du contrat définitif de vente

Elle est obligatoirement notifiée par un notaire. Les deux contrats, préliminaire et définitif, doivent comporter les éléments suivants :

- le prix de vente ;
- les modalités de son éventuelle révision (sachant que celle-ci ne peut pas être supérieure à l'augmentation de l'indice du coût de la construction, cette mention est obligatoire dans le contrat de vente) ainsi que les modalités de paiement anticipé ;
- le recours à un prêt pour financer l'achat ;
- la date du début de la location et sa durée ;
- le montant du loyer, sa périodicité et ses modalités de révision, celui-ci étant imputé dans une certaine proportion du prix de vente ;
- la description précise du logement et de ses annexes ;

- la description et le montant des charges incombant au locataire ;
- la nature et les références des contrats d'assurance relatifs à l'immeuble.

Le locataire accédant doit avoir reçu une copie du contrat par lettre recommandée avec accusé de réception au minimum un mois avant la signature du contrat.

Il est souhaitable de demander à consulter également le cahier de charges et le règlement de copropriété.

La signature de l'acte de transfert de propriété

L'acte de transfert de propriété doit être authentifié par un notaire. Toutefois, l'acheteur ne paie qu'une seule fois les frais d'actes notariés. Ils sont d'ailleurs réglables en deux fois : la moitié lors de la signature du contrat de location-accession définitif (le compromis est fait sous seing privé), l'autre moitié lors de la signature de l'acte de transfert de propriété.

Les charges dues pendant la durée de location

Pendant la durée où il est locataire, l'acheteur doit régler les charges concernant l'entretien courant de l'immeuble, exception faite de celles *« relatives aux éléments porteurs, aux éléments qui assurent le clos, le couvert et l'étanchéité, à l'exclusion de leurs parties mobiles »* qui incombent au propriétaire. Le propriétaire doit se porter garant, vis-à-vis de la copropriété, du fait que le locataire paiera les charges.

À savoir !

Lorsque des travaux représentant plus de 10 % du montant des charges sont effectués, le vendeur peut demander au locataire une augmentation du montant des charges ou celle du prix de vente en proportion des dépenses engagées.

La résiliation du contrat

Lorsqu'il y a signature d'un contrat préliminaire de location-vente, l'accédant a la possibilité de se désister dans un délai de sept jours, à partir de la signature de ce contrat. Passé ce délai, il a la possibilité d'annuler le contrat contre le paiement d'une indemnité ; celle-ci ne peut en aucun cas dépasser 1 % de la valeur du bien.

Le vendeur a l'obligation de restituer les sommes imputables sur le prix de vente, dans un délai maximum de trois mois, après la libération des lieux par le locataire. Le locataire a trois mois pour libérer les lieux, mais cette obligation ne peut pas être exigée avant le paiement des sommes qui lui sont dues.

Si le contrat prévoit un prix de vente révisable, les sommes remboursées seront augmentées dans des proportions comparables à la révision. Lorsque la résiliation du contrat est due à une faute du vendeur, l'acheteur peut obtenir, en plus des sommes imputables sur le prix de vente, un dédommagement qui peut atteindre 3 % de la valeur du bien immobilier.

Pour garantir le remboursement au locataire, le vendeur doit contracter, avant la signature du contrat préliminaire, une assurance auprès d'une banque ou d'un organisme de caution mutuelle. Si le montant des sommes garanties ne dépasse pas 50 % de la valeur de l'immeuble, une hypothèque peut être prise par l'organisme assureur.

Dans le cas où la résiliation serait du fait du locataire, le propriétaire peut demander une indemnité qui peut aller jusqu'à 2 % de la valeur du bien. Celle-ci peut monter à 3 %, lorsque le logement est construit depuis plus de cinq ans.

L'achat locatif

Acheter un bien immobilier en vue de le louer est une forme d'investissement qui est envisagée par de nombreux contribuables. Les logements achetés en vue de leur mise en location bénéficient d'avantages fiscaux, sous forme de réductions d'impôts sur les sommes investies et d'abattements forfaitaires sur les loyers perçus.

Plusieurs lois se sont succédé dans le but de pousser les épargnants à investir dans l'immobilier locatif : la plus importante a été la loi Méhaignerie (1986), suivie par la loi Périssol (1996), puis par l'amortissement Besson (1999).

La loi Besson

Elle repose sur la notion d'amortissement. Il est possible d'amortir l'achat d'un bien neuf et tous les frais d'acquisition accessoires, selon le taux de 8 % (un amortissement à un taux de 8 % de la valeur d'achat du bien) les cinq premières années et de 2,5 % les quatre dernières. En le louant aux mêmes conditions, l'acheteur peut continuer à l'amortir selon ce même taux pendant trois ou six autres années. Ainsi, le bien est amorti à 50 % au bout de neuf ans, à 57 % après douze ans et à 65 % après quinze ans.

La déduction forfaitaire pour l'investissement locatif est de 14 % ; elle tombe à 6 % lorsqu'on opte pour la loi Besson. Mais il est tout à fait possible de revenir à un taux plus avantageux après la fin de l'amortissement ou même de sortir du dispositif Besson après une première location. Le bien n'étant alors plus considéré comme neuf, l'investisseur peut revernir à une déduction forfaitaire de 25 % qui s'applique à l'immobilier ancien.

EXEMPLE

Exemple d'amortissement

M. Boyer a acheté un logement d'une valeur de 100 000 euros, en juin 2003. Son amortissement est calculé de la façon suivante.

Année	Durée en %	Calcul de l'amortissement	Amortissement (en euros)
2003	6 mois à 8 %	100 000 x 8 % x 6 / 12	4 000
De 2004 à 2007	4 ans à 8 %	100 000 x 8 % x 4	8 000 x 4 = 32 000
2008	6 mois à 8 % et 6 mois à 2,5 %	100 000 x 8 % x 6 / 12 100 000 x 2,5 % x 6 / 12	4 000 1 250
De 2009 à 2011	3 ans à 2,5%	100 000 x 2,5 %	2 500 x 3 = 7 500
2012	6 mois à 2,5 %	100 000 x 2,5 % x 6 / 12	1 250
Total			50 000 (la moitié de la valeur du logement)

Les conditions de la loi Besson

La loi est mise en place depuis le 1er janvier 1999. Pour en bénéficier, vous devez impérativement orienter votre choix vers un logement neuf et vous engager à le louer pendant une durée de neuf ans, tout en sachant que le montant des loyers est plafonné en fonction de la ville et de la zone.

Du fait de ce plafonnement, cet investissement est moins intéressant dans les zones où l'immobilier est cher, car la rentabilité s'en ressent. Reste à l'investisseur à évaluer les autres avantages de l'achat dans une zone prisée, surtout dans une période où les taux des crédits sont bas. Parmi ces avantages :

- le logement peut être achevé ou en état futur d'achèvement ;
- le logement peut être ancien mais réhabilité et bénéficier de frais de notaire réduits ;

- le logement peut être ancien mais affecté à un usage non résidentiel et transformé en logement. Il doit alors avoir été acheté avant le 1er janvier 1999 ;
- le logement doit respecter des conditions de superficie minimales.

La superficie est essentielle dans le calcul du loyer maximal qui peut être appliqué. Vous devez prendre en compte la surface habitable, déduction faite des murs et des placards, avec une hauteur de plafond minimale de 1,80 mètre. À cela s'ajoute la surface de l'appartement et la moitié des annexes (dans une limite de 8 m²).

EXEMPLE

Calcul de la superficie prise en compte

Exemple 1

Un appartement de 20 m² avec un balcon de 10 m² et une cave de 8 m² aura une base pour le calcul du loyer de : 20 + (5 + 4) = 29 ramenés à 28 m².

Exemple 2

Une maison de 90 m² habitables et des annexes de 130 m² (50 m² de combles plus 80 m² de sous-sol).

On déduit, de façon forfaitaire, un emplacement de parking de 12 m².

Le total des annexes est égal à 130 - 12 = 118 m².

On en retient la moitié, soit 118/2 = 59 m² mais plafonnées à 8 m².

La surface prise en compte pour fixer le loyer maximal est donc de : 90 + 8 = 98 m².

À savoir !

Les places de parking ne sont pas prises en compte pour calculer la surface du logement. Ainsi, vous avez le choix entre les mettre à la disposition du locataire « gratuitement » ou les louer à part. Dans ce cas, elles ne rentrent pas dans les avantages fiscaux de la loi.

Les conditions locatives

La location doit être effectuée dans les douze mois qui suivent l'acquisition ou la date d'achèvement du logement.

La location, non meublée, doit constituer la résidence principale du locataire.

Si le locataire donne son congé, le propriétaire doit relouer dans le même délai de douze mois. À défaut, il ne peut pas prétendre aux déductions offertes par la loi.

Le locataire ne peut pas faire partie du foyer fiscal du propriétaire, ne doit pas être un ascendant ou un descendant.

Les ressources du locataire sont plafonnées et on prend en compte l'année N – 2. Ainsi, pour 2003, ce sont les revenus de 2001 qui seront examinés.

Plafonds de ressources en euros

Foyer fiscal	Île-de-France	Province
Personne seule	19 058	15 911
Couple marié	31 321	24 362
+ 1 personne à charge	37 620	29 167
+ 2 personnes à charge	44 910	35 299
+ 3 personnes à charge	53 197	41 431
+ 4 personnes à charge	59 824	46 734
Majoration par personne à charge supplémentaire	6 796	5 305

Le loyer est plafonné en fonction des régions. Il est revalorisé annuellement en fonction de l'indice du coût de la construction. Il peut être révisé à la date anniversaire du contrat, si une clause d'indexation a été prévue.

Loyers pour 2003

Bail conclu en 2003	Commune	Loyer en euros / m2
Zone 1 bis	Paris et communes limitrophes	12,9
Zone 1	Autres communes de l'Île-de-France	11,4
Zone II	Agglomérations urbaines > 100 000 habitants	8,8
Zone III	Autres communes	8,3

Les autres avantages de l'investissement locatif

Ces avantages sont soumis à certaines conditions, selon que le logement est ancien ou neuf. Une condition est commune à l'achat locatif ancien ou neuf : c'est la nécessité de louer le logement vide en tant que résidence principale du locataire pendant une durée de six ans. Une dérogation peut être obtenue pour les logements dont 25 % de la surface ne sont pas loués en temps que résidence principale du locataire ; ceux-ci sont souvent réservés à l'utilisation de l'acheteur.

L'achat d'un logement neuf destiné à la location bénéficie d'avantages fiscaux plus importants que si le logement est ancien. Ceux-ci sont d'ailleurs réglementés. Indépendamment des avantages liés à la loi Besson, il existe d'autres avantages fiscaux liés à l'achat locatif d'un logement neuf. L'acquéreur peut déduire de ses revenus fonciers :

- les intérêts et les frais relatifs à l'emprunt contracté sans limitation de montant ou de durée (frais d'ouverture de dossier, de prise d'hypothèque, d'assurances diverses, etc.) ;
- les dépenses engendrées par les travaux et l'entretien du logement ;
- les frais de gérance ou de rémunération de concierge ou de gardien ;
- la taxe foncière sur les propriétés bâties et les taxes annexes pendant l'année de l'achèvement et les deux années qui suivent ;
- toutes les charges qui devraient être payées par le locataire mais qui sont payées par le propriétaire, sans qu'elles lui soient remboursées.

L'achat locatif d'un logement ancien

Les conditions fiscales sont moins intéressantes que pour l'achat d'un logement neuf, mais comme nous le verrons plus loin, lorsque nous voulons juger de la rentabilité d'un placement. Une fiscalité intéressante n'est pas le seul critère d'une bonne opération, d'autres éléments sont à prendre en compte. Il est possible de déduire des revenus bruts fonciers les montants suivants :

- les intérêts et les frais liés à un éventuel emprunt, comme c'est le cas pour l'achat d'un logement neuf ;
- les intérêts et les frais des emprunts contractés pour réaliser des travaux ou pour l'entretien du logement ;
- une déduction forfaitaire de l'ordre de 14 %.

Comparaison des investissements locatifs

L'attrait que représente la loi Besson amène souvent l'investisseur à commettre une mauvaise affaire et à réaliser un mauvais placement. Un placement ne se juge pas seulement à l'économie immédiate qu'il permet de réaliser, encore faut-il pouvoir le louer pour dégager des revenus fonciers et faut-il qu'il prenne de la valeur pour réaliser une plus-value lors de sa revente. Ces deux critères sont à étudier avec soin avant de fixer votre choix : investissement dans le neuf ou dans l'ancien.

Ce qui fera que votre logement sera facilement louable et prendra de la valeur, c'est avant tout la commodité des transports en commun et son emplacement. Le centre-ville est toujours privilégié par rapport à la périphérie. Or, la majorité des logements pouvant bénéficier de la loi Besson sont en périphérie ou dans des zones où l'immobilier est bon marché.

Un investissement judicieux

Pour réaliser votre investissement, vous devez acheter un type de logement qui fait défaut dans la région ou dans la ville que vous choisissez. Par exemple, investir dans un studio ou un deux-pièces par souci de rentabiliser au maximum les déductions autorisées, dans une ville où les grands logements manquent et où les petites surfaces pour lesquelles on ne trouve pas de locataires foisonnent, met en péril votre placement.

De plus, lorsque vous choisissez d'investir dans une petite surface, il faut tenir compte du fait que les studios et les deux-pièces connaissent une rotation importante de locataires, ce qui implique nécessairement une détérioration du logement, une remise en état fréquente ainsi que des périodes où le logement restera vacant.

L'un des premiers avantages de l'ancien est son moindre coût par rapport au neuf ; il n'est pas rare que la décote de l'ancien soit de 20 ou 30 %. Compte tenu de ces éléments, pour une même somme d'argent, vous avez souvent intérêt à acheter une surface qui, si elle n'est pas neuve, est bien placée, donc louable plus facilement. De plus, vous ne contractez pas l'obligation de louer le logement à des loyers limités, pendant une période de neuf ans, à des locataires ayant des ressources plafonnées.

Il faut aussi tenir compte du fait que, à surface égale, le loyer d'un logement ancien et quasiment le même que celui d'un logement neuf.

L'investissement locatif meublé

Cet investissement, bien que s'apparentant au précédent dans sa finalité (acheter un logement et le mettre en location), diffère bien fiscalement.

La principale différence entre les deux investissements vient du fait que les revenus locatifs ne constituent pas des revenus fonciers, mais sont considérés comme des revenus commerciaux. Par ailleurs, la loi fait la différence entre les loueurs en meublé professionnels et les loueurs non professionnels.

Le loueur en meublé professionnel

Il doit être inscrit au registre du commerce et des sociétés. Ses loyers acquis dépassent la limite de 23 000 euros annuels ou ses revenus locatifs constituent plus de 50 % de la totalité de ses revenus.

Il déclare ses revenus au titre des bénéfices industriels et commerciaux, selon les régimes d'imposition applicables à ces bénéfices.

Il existe quatre régimes d'imposition qui dépendent de l'importance du chiffre d'affaires réalisé :

- le **régime d'imposition sur 50 %** des recettes des petites entreprises (chiffre d'affaires de moindre importance) ;

- le **régime du forfait**, dans le cas où le chiffre d'affaires annuel n'excède pas 23 000 euros pour une location en meublé ;
- le **régime réel simplifié**, si les revenus locatifs sont inférieurs à 152 500 euros ;
- le **régime réel normal** pour un revenu locatif supérieur à 152 500 euros.

La location en meublé professionnelle est réservée aux gros investisseurs, fortement imposés, qui peuvent s'engager sur de gros montants.

Toutefois, ils peuvent bénéficier d'un bon effet de levier fiscal, surtout lorsque l'investissement est réalisé dans une résidence de tourisme, car il n'y a pas de perception de taxe professionnelle.

Les contrats proposés sur le marché et les montages financiers sont nombreux. Il convient de les examiner avec prudence avant de s'engager. La loi étant assez vague à ce sujet, la fiscalité applicable en la matière dépend de la rédaction et des termes exacts de ces différents contrats.

Les revenus locatifs sont pris en compte dans le revenu global et le déficit éventuel s'impute sur celui-ci. En cas de dépassement de déficit, celui-ci peut être reporté sur le revenu des années suivantes, dans la limite de cinq années consécutives.

Il s'agit, par le biais des emprunts et des travaux réalisés, d'augmenter les charges et d'arriver à un déficit plus ou moins important, qui réduira ou annulera le revenu global de l'investisseur.

EXEMPLE

Cas d'exonération d'impôt sur les plus-values

Un loueur en meublé professionnel peut emprunter pour réaliser son prêt. Il peut également faire des travaux pour aménager le logement. Les remboursements et le montant des travaux viennent en soustraction du montant du loyer perçu et peuvent créer un solde négatif qui sont déduits de son revenu global.

Soit un loyer perçu de 1 000 euros par mois. Les mensualités de l'emprunt sont de 250 euros et des travaux de peinture et de fuite d'eau ont respectivement coûté 10 500 et 2 750 euros.

Les gains sont de 1 000 x 12 = 12 000 euros.

Les dépenses sont de **(250 euros x 12 mois) + 10 500 + 2 750 = -16 250 euros.**

Déficit = 16 250 - 12 000 = 4 250 euros.

Cette somme diminuera les revenus de l'investisseur et il ne sera pas imposé.

Le loueur en meublé professionnel est également exonéré d'impôt sur les plus-values, s'il exerce son activité depuis plus de cinq ans et si ses revenus locatifs ne dépassent pas 152 500 euros.

Le risque de cet investissement est de ne pas trouver de locataire et d'annuler, par manque de revenus réels, l'intérêt que représente la possibilité d'imputer le déficit sur l'ensemble des revenus.

Le loueur en meublé non professionnel

Sont considérés comme tels, les loueurs qui retirent de leur activité de location un revenu annuel ne dépassant pas 76 000 euros ou qui retirent de cette activité moins de 50 % de leurs revenus. Ils peuvent déclarer leurs revenus sous le régime de l'imposition de 70 % du chiffre d'affaires. Ils sont autorisés à imputer le déficit commercial uniquement sur les revenus de même nature (bénéfices industriels et commerciaux).

Le loueur en meublé non professionnel peut bénéficier d'exonération sur ses revenus locatifs lorsqu'il loue :

- ou sous-loue en meublé une partie de son habitation principale et que les pièces louées constituent la résidence principale du locataire, il peut bénéficier d'une exonération sur la totalité des revenus locatifs. Dans ce cas, la loi autorise la location à un étudiant ou à un apprenti dont le domicile légal est conservé chez les parents ;

- des pièces de sa résidence principale et lorsque les locataires n'élisent pas leur domicile dans les chambres louées ;
- à des personnes aux revenus modestes (personnes bénéficiaires du RMI, étudiants boursiers ou organismes à but non lucratif).

L'exonération est possible pour une période de trois ans, à partir du début de la location.

La taxe professionnelle due, si l'activité est exercée de manière répétitive, est exonérée dans les mêmes conditions. De même, elle n'est pas due lorsque la location est saisonnière et dans les locations para-hôtelières.

L'investissement en résidence de tourisme

Après l'investissement Périssol, l'investissement en résidence de tourisme a vu le jour le 1er janvier 1999, à l'initiative de Michelle Demessine. La loi a été modifiée en janvier 2001 et prorogée jusqu'à fin 2006.

Cette loi, qui vise à développer les zones rurales, incite les investisseurs à choisir cette voie avec une réduction d'impôt.

La résidence de tourisme doit être classée et implantée soit dans une zone rurale, soit dans une zone de revitalisation rurale.

Le propriétaire, moyennant la possibilité de se réserver le logement pour son propre usage pendant huit semaines par an, loue un logement meublé à un exploitant des résidences de tourisme pendant une durée de neuf ans.

Les revenus sont intégrés dans les revus fonciers. La réduction d'impôt est de 15 % du montant investi, plafonné à 45 760 euros pour une personne seule et 91 520 euros pour un couple ; soit un avantage fiscal limité à 6 864 et 13 728 euros. Cette réduction est étalée à raison d'un quart de la somme totale par an pendant quatre ans.

EXEMPLE

La réduction d'impôt sur 4 ans

M. Leroy achète en 2002 un appartement d'une valeur de 100 000 euros.

La réduction d'impôt est de 45 760 euros x 15 % = 6 864 euros.

Cette réduction est appliquée sur quatre ans de la manière suivante : 6 864/4 = 1 716 euros/an qui seront déduits du montant des impôts à payer.

En 2002, son impôt de 15 000 euros est ramené à 13 284 euros.

En 2003, son impôt de 14 000 euros est ramené à 12 284 euros.

En 2004, son impôt de 12 500 euros est ramené à 10 784 euros.

En 2005, son impôt de 15 500 euros est ramené à 13 784 euros.

L'investissement de rénovation et de restauration

Il est possible de déduire des revenus fonciers les charges afférentes à des travaux de rénovation et de restauration. Les éventuels déficits fonciers peuvent être reportés sur une période de six ans.

EXEMPLE

Déduire des travaux de ses revenus fonciers

M. Benoît achète en 2000 un immeuble en très mauvais état. Il le paie 2 000 000 d'euros. Il fait effectuer des travaux pour une valeur de 85 000 euros. Il a par ailleurs des revenus fonciers annuels.

Revenus fonciers annuels en euros

Année	Revenus fonciers	Déficit imputé	Revenu imposable
2000	-	-	-
2001	15 000	15 000	-
2002	17 000	17 000	-
2003	18 000	17 000	1 000
2004	20 000	18 000	2 000
2005	20 000	18 000	2 000

La loi Malraux

La loi Malraux renforce cette possibilité pour les immeubles ayant fait l'objet de travaux exécutés dans le cadre d'une opération groupée de restauration immobilière. En effet, le déficit résultant des travaux admis en déduction des revenus fonciers est imputable sur le revenu global du propriétaire.

Les conditions générales

Les locaux doivent être loués nus pendant une période de six ans ; la location doit être effective dans les douze mois qui suivent l'achèvement des travaux.

Il est autorisé d'inclure les frais annexes aux travaux, rendus nécessaires par l'opération : frais de relogement, d'indemnisation des occupants, d'adhésion à une association urbaine.

En cas de non-respect des conditions d'application de la loi Malraux, le revenu global de l'année du non-respect de l'engagement est majoré du déficit déduit, quelle que soit l'ancienneté de celui-ci.

Dans une propriété démembrée, deux parties sont en présence : l'usufruitier et le nu-propriétaire. L'usufruitier est tenu aux réparations d'entretien car il jouit temporairement d'un bien qui appartient au nu-propriétaire. Quant à ce dernier, il a la charge des grosses réparations.

En cas de location

Si l'usufruitier donne l'immeuble en location (au nu-propriétaire ou à un tiers), le nu-propriétaire peut déduire de son revenu global, au cas où ses revenus fonciers seraient insuffisants, les grosses réparations ainsi que les intérêts de l'emprunt qu'il a contracté pour les réaliser.

Si l'usufruitier occupe le logement à titre de résidence principale, il peut déduire les charges afférentes à la résidence principale. De même, si le nu-propriétaire occupe le logement à titre gratuit.

Notons que les dépenses ne peuvent être déductibles que des revenus de celui qui les supporte effectivement, même s'il n'a pas l'obligation légale de les réaliser.

L'usufruitier qui loue l'immeuble est tenu de déclarer les loyers qu'il perçoit au titre de ses revenus fonciers.

Les recettes de droit de visite des monuments historiques sont considérées comme des revenus fonciers et bénéficient d'un abattement plus important, s'il y a des jardins ouverts au public. Le propriétaire peut déduire plus, s'il peut le justifier.

L'investissement dans les DOM-TOM

La loi Pons

La loi Pons, modifiée par la loi Paul en 2001, a pour but d'aider au développement économique des DOM-TOM.

La loi Pons comporte deux aspects :

- le premier concerne la construction ou l'acquisition de logements neufs destinés à l'habitation principale et la souscription de parts de sociétés chargées de construire ou d'acquérir des logements destinés à la résidence principale ;
- le second aspect, qui ne concerne pas le sujet de cet ouvrage, est relatif à l'investissement effectué par les entreprises dans les secteurs de l'industrie, de la pêche, de l'agriculture, des énergies nouvelles, du bâtiment, des travaux publics, des transports, de l'artisanat, de l'hôtellerie, du tourisme, de l'audiovisuel ou de la maintenance.

La réduction d'impôt

La loi Pons accorde une réduction d'impôt sur la base du prix d'achat du logement ou du prix des parts ou actions.

Cette réduction est calculée de la façon suivante : la réduction, répartie sur cinq ans, est égale à 25 % (soit 5 % chaque année) du prix d'acquisition pour les années 1990 à 2006. Elle peut être portée à 40 %, à condition de s'engager à conserver les titres ou à louer le logement pendant neuf ans, dans le cadre d'une convention signée avec l'État.

La réduction d'année est pratiquée sur le revenu de l'impôt de l'année de l'achèvement de l'immeuble ou de son acquisition, si elle est antérieure, ou de l'année de l'investissement.

Les conditions d'attribution de la déduction

Elle est accordée au propriétaire qui acquiert un logement neuf situé dans les départements d'outre-mer et qui prend l'engagement d'y élire sa résidence principale ou de le louer, pendant six ans, en tant que résidence principale du locataire. Le début de cette période de résidence principale doit commencer dès l'achèvement des travaux, s'il s'agit de loger le propriétaire, et dans les six mois qui suivent, s'il s'agit d'y loger un locataire.

Elle est également accordée lors de la souscription de titres de sociétés ayant pour objet l'acquisition ou la construction d'immeubles neufs, destinés à la location nue pour des personnes qui y élisent leur résidence principale.

Les souscripteurs doivent s'engager à conserver les titres pendant une période de six ans. Les sociétés, elles, s'engagent à louer les logements pendant neuf ans et à achever les fondations deux ans au maximum après la clôture des souscriptions annuelles.

Il n'est pas possible de cumuler les avantages fiscaux de la loi Besson et de la loi Pons avec des réductions relatives à l'habitation principale.

Chapitre 3

Les prêts immobiliers

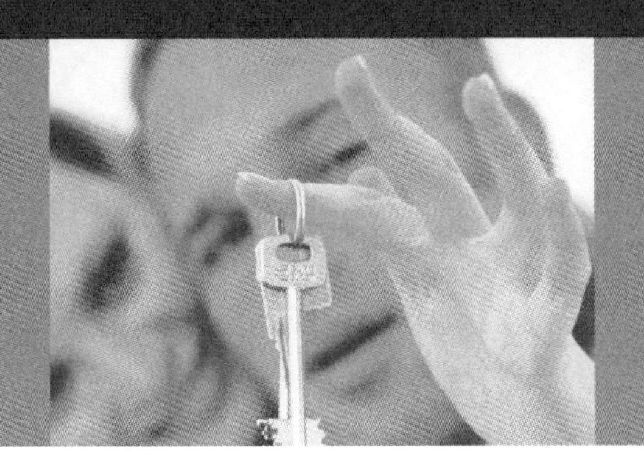

La diversité des prêts qui existent sur le marché est assez large. Aussi, soyez très vigilant et consacrez-vous sérieusement à la recherche du meilleur taux et des meilleures conditions.

Pour simplifier, deux grandes catégories de prêts sont disponibles sur le marché :

- les prêts à taux réduit ou prêts subventionnés. La plupart sont proposés et subventionnés par l'État, d'où l'intérêt de les privilégier. Ils peuvent vous être proposés par le vendeur, surtout lors d'une nouvelle acquisition. Mais souvent, il faut taper à différentes portes pour pouvoir en bénéficier. Leur obtention est conditionnée par des critères comme les revenus, la région ou la profession ;
- les prêts bancaires immobiliers classiques. Vous y aurez recours si les premiers ne vous sont pas accessibles ou s'ils ne suffisent pas à financer votre acquisition.

Les taux et les conditions d'obtention de ces prêts varient en fonction de la politique financière et commerciale des différentes banques. Opérez une sélection sévère et renseignez-vous bien avant de signer le contrat de prêt qui vous engage pour de longues années.

Les prêts subventionnés

Les prêts subventionnés sont relativement nombreux. Pour chacun d'entre eux, nous allons voir :

- les conditions d'obtention ;
- le montant maximal de l'emprunt ;
- la durée ;
- le taux.

Les prêts épargne logement

L'épargne logement est la façon d'accéder à la propriété la plus utilisée en France. Plus de 18 millions de Français ont ouvert un compte ou un plan épargne logement.

Sous ce terme, on trouve en fait deux produits différents mais complémentaires : le Compte Épargne Logement (CEL) et le Plan Épargne Logement (PEL).

L'ouverture préalable du compte ou du plan est une première condition à l'obtention d'un prêt épargne logement. Cette ouverture, qui conditionne un placement et une épargne au préalable, vous permet ensuite d'accéder à un prêt à taux privilégié. Les intérêts, ou droits acquis, ouvrent directement droit à ce prêt.

Les membres d'une même famille, qui possèdent l'un des deux produits, peuvent se céder mutuellement leurs droits. L'emprunteur doit toutefois utiliser ces droits avant d'avoir recours à ceux de sa famille. Seuls les intérêts de produits de même nature, c'est-à-dire deux plans ou deux comptes, peuvent être utilisés simultanément.

Il est non seulement possible de céder les droits, mais aussi un PEL en entier, à condition d'être cédé à un membre de la famille qui ne possède pas lui-même de plan. Pour cela, il convient de faire une donation notariée de l'ensemble, c'est-à-dire le capital, la prime, les droits à prêts et les intérêts. Les frais notariés engendrés ne pourront être payés par un prêt épargne logement.

L'établissement prêteur peut être librement choisi, mais si la banque de l'emprunteur ne veut pas se charger du prêt, c'est celle qui détient les droits les plus importants qui est obligée de le mettre en place.

L'obtention du prêt est un droit ; votre banquier ne peut vous le refuser, sauf si vos capacités d'épargne ne suffisent pas pour assurer le remboursement des mensualités. Toutefois, il existe une condition quant à la destination du prêt. Il doit être fait pour permettre l'acquisition d'une résidence principale ou secondaire et la réalisation de travaux pour une résidence principale ou secondaire.

Il n'est pas possible de solliciter un prêt épargne logement pour une résidence secondaire, tant qu'on n'a pas fini de rembourser un prêt épargne logement relatif à la résidence principale.

Il est aussi possible d'obtenir ce prêt pour acquérir un bien en multipropriété.

De même, il est possible de louer occasionnellement le bien.

L'apport personnel n'est pas nécessaire pour obtenir ce genre de prêt, et celui-ci peut même être considéré comme un apport personnel.

Le compte épargne logement

La caractéristique la plus intéressante du CEL est sa souplesse. Toute personne physique, majeure ou mineure, peut profiter de cette formule d'épargne et de financement aidée par l'État. Un seul CEL est autorisé par personne.

La durée

La durée du contrat est indéterminée : l'obtention d'un prêt n'entraîne pas la fermeture du CEL. Pour pouvoir profiter au maximum des possibilités offertes par cette formule, il est recommandé de le garder ouvert au minimum pendant dix-huit mois à partir de sa date d'ouverture.

L'avantage du CEL est sa disponibilité totale : à tout moment, pour partie ou en totalité, on peut sans pénalité retirer de l'argent.

Les versements et les retraits

Les versements et les retraits sont totalement libres, tant que le solde du CEL reste supérieur à 300 euros et inférieur au plafond de 15 300 euros :

- à l'ouverture, le versement minimum est de 300 euros ;
- ensuite, les versements et les retraits sont libres, avec un minimum de 75 euros par opération ;
- le plafond légal de dépôt est de 15 300 euros. Ce plafond ne peut être dépassé que par la capitalisation des intérêts. Autrement dit, lorsque les intérêts sont crédités sur le compte.

La rémunération

Elle est de 2 % par an, nets d'impôts sur le revenu (soit 1,80 % après les prélèvements sociaux). Ainsi, pour une épargne de 100 euros, vous percevrez 1,8 euro d'intérêts et non 2 euros.

Les intérêts sont calculés par quinzaine et crédités chaque année sur le CEL, au début du mois de janvier.

Le taux, fixé par les pouvoirs publics, est susceptible d'être revu à tout moment.

Si la période d'épargne est suivie d'un prêt épargne logement, une prime d'État est versée. Elle est calculée en fonction des droits à prêts acquis et utilisés et plafonnée à 1 144 euros par prêt.

La fiscalité du CEL

Les intérêts sont exonérés de l'impôt sur le revenu. Des prélèvements sociaux (10 %) sont effectués chaque année, début janvier, lors de la capitalisation des intérêts. La prime est exonérée de l'impôt sur le revenu. En revanche, des prélèvements sociaux sont perçus lors du versement de la prime.

3. Les prêts immobiliers

Le plan épargne logement

Toute personne physique, majeure ou mineure, peut ouvrir un PEL. IL est personnel. Aussi, il n'est pas possible d'ouvrir un PEL en compte joint.

La durée

Elle est de quatre ans minimum. À l'échéance, si vous avez un projet immobilier, vous pouvez demander un prêt épargne logement.

Si vous n'avez pas de projet immobilier immédiat, vous avez plusieurs possibilités :

- prolonger le contrat pour un maximum de dix ans ;
- céder vos droits à prêt à un membre de votre famille, sous certaines conditions ;
- procéder à un retrait total des fonds en gardant la possibilité pendant un an d'emprunter à un taux avantageux.

Les versements et les retraits

Les fonds épargnés sont disponibles à tout moment. Toutefois, un retrait entraîne la clôture du PEL :

- si le retrait, donc la résiliation, a lieu avant le deuxième anniversaire, vous perdez les droits à la prime et au prêt. Les intérêts sont alors recalculés au taux du CEL en vigueur, à la date de résiliation. On considère alors l'épargne comme placée sur un CEL et non un PEL. C'est moins avantageux, mais tout n'est pas perdu.
- si le retrait a lieu avant le troisième anniversaire, vous perdez les droits à la prime et au prêt. En revanche, le calcul des intérêts reste inchangé ;
- si le retrait a lieu entre le troisième et le quatrième anniversaire, vos droits à la prime sont réduits de 50 % et les droits au prêt sont limités à ceux acquis à la fin de la troisième année.

Au-delà de dix ans, le PEL peut être conservé, mais :

- les versements sont impossibles ;
- la rémunération est limitée aux intérêts contractuels et les montants des droits au prêt et de la prime d'État n'augmentent plus avec les intérêts de votre épargne.

Le versement à l'ouverture est de 225 euros minimum.

Pendant la durée du contrat, les versements réguliers, d'un montant mensuel minimum de 45 euros, sont obligatoires. Cette fréquence est libre (mensuelle, trimestrielle ou semestrielle), sous réserve de verser un minimum de 540 euros par an.

Les versements exceptionnels sont possibles pendant toute la durée du contrat. Ces derniers s'ajoutent aux versements réguliers. Le plafond des dépôts (intérêts et prime exclus) est de 61 200 euros.

La rémunération

Elle est actuellement de 4,50 %. Ce taux d'intérêt se compose :

- pour 5/7e, des intérêts servis par votre banque ;
- pour 2/7e, d'une prime d'État, plafonnée à 1 525 euros.

Pour tout PEL souscrit depuis le 12 décembre 2002, l'octroi de la prime d'État est conditionné par la mise en place d'un prêt épargne logement.

La fiscalité

Exonération de l'impôt sur le revenu.

Prélèvements sociaux (10 %) lors de la clôture du PEL.

La mise en place du prêt épargne logement

Pour en bénéficier, il faut être majeur, titulaire d'un compte et avoir acquis des droits à prêts, générés par les intérêts d'un PEL d'au moins 4 ans ou d'un CEL d'au moins 18 mois.

3. Les prêts immobiliers

Vous pouvez y recourir pour plusieurs opérations de financement :

- l'acquisition de votre résidence principale dans le neuf ou dans l'ancien ;
- l'acquisition de votre résidence secondaire dans le neuf ;
- la réalisation d'une opération de construction ;
- la réalisation de travaux ;
- un investissement locatif dans le neuf ou dans l'ancien.

Le montant

Le montant est déterminé en fonction de l'effort d'épargne et de la durée de remboursement choisie. Les plafonds varient en fonction du contrat :

- 92 000 euros pour un PEL ;
- 23 000 euros pour un CEL ;
- 92 000 euros pour un PEL plus un CEL.

La durée et les modalités de remboursement

La durée varie entre 2 et 15 ans.

Le remboursement s'effectue par mensualités.

Le taux

Le taux est fixe :

- pour le PEL, déterminé lors de la souscription du prêt, il est garanti quelle que soit l'évolution du marché. Le taux nominal annuel hors assurance est de 4,97 % pour les PEL souscrits à 4,50 % ;
- pour le CEL, il est déterminé lors de la souscription du prêt en fonction du (ou des) taux de rémunération du CEL pendant la période d'épargne. Le taux nominal annuel hors assurance est de 3,50 %, si les droits à prêt ont été acquis en totalité au taux de 2 %.

En cas de changement de résidence principale, il est possible de maintenir votre prêt épargne logement sur votre nouvelle acquisition, à condition que la vente et l'acquisition aient lieu dans un délai maximum de 6 mois.

Les droits peuvent être utilisés partiellement, en fonction des sommes nécessaires. Les droits restants peuvent être gardés pour une utilisation ultérieure. Cela peut être particulièrement avantageux en cas d'emprunt pour des travaux.

Les membres de votre famille peuvent vous céder une partie de leurs droits et utiliser eux-mêmes les droits restants. Il n'est pas nécessaire que leurs comptes soient ouverts depuis 18 mois : 12 mois suffisent.

Le prêt conventionné

Les conditions d'obtention ont été simplifiées par le décret du 4 octobre 2001.

Le prêt conventionné, sans condition de ressources, peut être consenti par toutes les banques ayant passé une convention avec l'État. Il ouvre droit à l'Aide Personnalisée au Logement (APL).

Le bénéficiaire du prêt doit occuper le logement financé à titre de résidence principale (au moins huit mois par an), que ce soit lui-même, son conjoint, ses ascendants, ses descendants ou ceux de son conjoint.

Les conditions relatives aux logements sont redéfinies par le nouveau décret : les normes de surface subsistent uniquement pour des logements anciens, avec ou sans travaux, et pour des opérations d'agrandissement : la surface habitable minimale est alors de 9 m^2 pour une personne, 16 m^2 pour deux personnes, augmentés de 9 m^2 par personne supplémentaire.

Des normes d'habitabilité sont également exigées.

Les travaux doivent être achevés dans les trois ans, à compter de la date d'acceptation de l'offre de prêt.

3. Les prêts immobiliers

Les opérations financées sont les suivantes :

- l'acquisition d'un terrain (dans la limite de 2 500 m^2) ;
- l'achat d'un logement neuf ;
- l'aménagement en habitation de locaux non destinés initialement à cette utilisation ;
- les travaux d'extension de logements existants ;
- les travaux d'économie d'énergie dans un logement existant ;
- les travaux d'amélioration dans un logement existant ;
- l'acquisition d'un logement existant.

La demande de prêt peut intervenir après la date d'acquisition du terrain, du logement ou du commencement des travaux, sous la double réserve que le délai compris entre cette date et le dépôt de la demande de prêt n'excède pas 6 mois.

Un prêt conventionné peut financer l'intégralité du coût de l'opération. Par coût de l'opération, il faut désormais entendre, quelle que soit l'opération :

- la charge foncière ou la charge immobilière ;
- les honoraires de négociation à la charge de l'acquéreur ;
- le coût des assurances de construction ;
- certaines taxes afférentes à cette construction ;
- les frais d'état des lieux ;
- etc.

Le montant

Le prêt conventionné peut désormais financer la totalité du coût de l'opération.

La durée et les modalités de remboursement

Le prêt conventionné est amortissable sur une durée de 10 à 25 ans pour la construction, l'acquisition d'un logement neuf ou l'acquisition d'un logement existant. Cette durée est réduite entre 5 et 15 ans pour les opérations d'amélioration et les travaux visant les économies d'énergie.

Le remboursement se fait par mensualités.

Le taux

Le taux est différent selon que c'est un taux fixe ou un taux révisable. Il est fixé par les banques ou les établissements financiers, dans la limite d'un taux plafond.

Compte tenu des marges applicables, les taux maxima s'établissent ainsi :

<table>
<tr><th></th><th>Prêt conventionné à taux fixe</th><th>Prêt conventionné à taux révisable</th></tr>
<tr><td>Durée = 12 ans</td><td>7,25 %</td><td rowspan="4">7,25 %</td></tr>
<tr><td>12 ans < Durée = 15 ans</td><td>7,45 %</td></tr>
<tr><td>15 ans < Durée = 20 ans</td><td>7,60 %</td></tr>
<tr><td>Durée > 20 ans</td><td>7,70 %</td></tr>
</table>

Le prêt conventionné peut être cumulé, entre autres, avec l'un des prêts suivants :

- prêt à taux zéro ;
- prêt épargne logement ;
- 1 % logement ;

- prêts aux fonctionnaires ;
- prêts relais, prêts à court terme dans l'attente de la vente d'un précédent logement ;
- compléments de prêts accordés aux Français rapatriés d'outre-mer, titulaires d'un titre d'indemnisation ;
- prêt à taux fixe dont le taux est au maximum égal au taux des prêts des comptes épargne logement en vigueur à la date de l'émission de l'offre du prêt (3,50 %).

À savoir !

Si vous vendez le bien et acquérez une nouvelle résidence principale, il est possible de maintenir votre prêt conventionné sur votre nouvelle acquisition, si le bien acquis répond aux critères du prêt conventionné.

Le prêt à taux zéro

Le prêt à taux zéro, mis en place en 1995, est destiné à faciliter l'acquisition ou l'amélioration de la résidence principale de l'emprunteur. Il s'agit d'une aide précieuse, sous forme d'avance remboursable ne portant pas intérêt et destinée aux personnes physiques, pour l'accession à la propriété.

Le principe est extrêmement attractif : pouvoir profiter d'un prêt sans frais financier. Pour un financement total de 70 000 euros, cela peut représenter une économie d'intérêts de 4 200 euros par an !

En fait, les conditions d'attribution du prêt à taux zéro ont été fixées de manière stricte, afin de limiter le nombre de bénéficiaires et d'éviter que le coût global de cette mesure ne soit trop important.

Avant de rêver, lisez attentivement cette partie et vérifiez bien que vous pouvez en bénéficier. Si vous remplissez les conditions d'attribution de ce prêt, surtout profitez-en, le prêt à taux zéro est une solution prioritaire.

Les conditions

Pour en bénéficier, il faut remplir des conditions de plafond de ressources.

Tout d'abord, le montant des ressources à prendre en compte est la somme des revenus imposables de chaque personne vivant dans le logement, au titre de l'année N-2. Par exemple, pour une demande de prêt effectuée en 2002, les revenus à prendre en considération sont ceux de l'année 2000. Le niveau de ces revenus est plafonné en fonction du nombre de personnes au foyer (couples mariés ou personnes vivant en concubinage) et de la situation géographique du logement. Si vos ressources sont supérieures à la limite fixée par la loi, vous n'aurez pas droit au prêt à taux zéro.

Plafonnement du niveau de revenus

Nombre de personnes au foyer	Île-de-France (en euros)	Province (en euros)
1	22 105,26	18 949,56
2	28 416,64	25 260,96
3	31 572,35	28 416,64
4	34 728,03	31 572,35
5 et plus	37 883,73	34 728,03

Enfin, la deuxième condition concerne le type de logement compatible avec un prêt à taux zéro : uniquement la résidence principale. De plus, vous ne devez pas avoir été propriétaire de votre résidence principale au cours des deux dernières années. Vous devrez l'occuper durant toute la durée du prêt.

Si vous devez déménager pour des raisons professionnelles et si vous vendez votre logement, vous pouvez demander un nouveau prêt à taux zéro ou le transfert du prêt à taux zéro initial.

Logement neuf ou ancien ?

Votre logement devra être neuf et n'avoir jamais été occupé. Vous pourrez également financer l'achat d'un terrain et la construction de ce terrain avec ses annexes et garages, plus l'aménagement de locaux destinés à devenir un logement.

Mais, dans certaines conditions, vous pourrez aussi acheter dans l'ancien : le logement doit avoir plus de vingt ans et nécessiter de gros travaux qui doivent représenter au moins 54 % du prix d'achat du logement seul.

Le prêt à taux zéro ne peut en aucun cas être l'emprunt principal ou unique. Vous devrez avoir obtenu d'autres emprunts (prêts complémentaires) et pouvoir effectuer un apport personnel.

L'obtention du prêt à taux zéro n'est pas compatible avec d'autres aides telles que celles de l'Agence Nationale pour l'Amélioration de l'Habitat.

Les prêts cumulables avec le prêt à taux zéro sont :

- le prêt d'accession sociale ;
- le prêt conventionné ;
- le prêt 1 % ;
- le prêt épargne logement ;
- le prêt bancaire classique ;
- les autres prêts à caractère social.

Le montant

Le montant du prêt est au maximum égal à :

- 20 % du prix de votre acquisition ;
- 30 % dans les zones urbaines sensibles et les zones franches urbaines.

Le montant ne dépassera pas 50 % de l'ensemble de vos emprunts (prêts complémentaires) pour l'acquisition de votre logement.

Des plafonds pour le prix du logement auquel vous pouvez prétendre ont été fixés en fonction du lieu d'habitation et du nombre de personnes dans le ménage.

Prix maximal du logement à acquérir

Nombre de personnes au foyer	Île-de-France (en euros)	Province (en euros)
1	76 224,51	53 357,16
2	106 714,31	76 224,51
3	114 336,76	83 846,96
4	121 959,21	91 469,41
5	129 581,66	99 091,86
6 et plus	137 204,12	106 714,31

Depuis le 1er janvier 1996, la ville de Paris double le montant du prêt à taux zéro, en donnant la possibilité de profiter d'un prêt complémentaire également à taux zéro. Il est réservé aux Parisiens qui habitent depuis au moins trois ans dans la capitale.

Le remboursement du prêt

Le remboursement du prêt, individualisé, dépend de vos ressources et des mensualités de vos autres emprunts (prêts complémentaires) pour ce même logement. Plus vos ressources sont modestes, plus le prêt est remboursé tardivement.

Deux solutions s'offrent à vous pour le remboursement du prêt :

- vous pouvez demander un différé d'amortissement (rembourser un peu plus tard), deux *périodes distinctes sont mises en place pour vous permettre d'organiser le remboursement du prêt ;
- dans le cas contraire, le remboursement s'effectue par mensualités constantes.

*La période 1 permet de rembourser uniquement les sommes qui ne font pas l'objet d'un différé : elle dure en moyenne 15 ans. La période 2 correspond au remboursement des sommes qui ont fait l'objet d'un différé : elle dure entre 2 et 4 ans suivant vos ressources.

Durée de la période 1 (depuis le 1er octobre 2000)

Revenu imposable du foyer (en euros)	Durée de la période (en années)
Moins de 12 638,18	15
De 12 638,18 à 15 793,86	15
De 15 793,87 à 18 949,56	14 ans + 6 mois
De 18 949,57 à 22 105,25	12
De 22 105,26 à 25 260,95	10
De 25 260,96 à 28 416,64	7
28 416,65 et plus	6

Durée de la période 2

Revenu imposable du foyer (en euros)	Fraction de l'avance avec différé	Durée de la période (en mois)
Moins de 12 638,18	100 %	48
De 12 638,18 à 15 793,86	75 %	36
De 15 793,87 à 18 949,56	50 %	24
18 949,57 et plus	0 %	

Au cours du remboursement, il est possible de modifier les échéances en demandant une réduction de la durée du prêt. Cela ne peut se faire qu'à votre demande. Cette durée ne peut pas être inférieure à sept ans.

Votre dossier

L'établissement d'un crédit peut exiger de vous la prise d'une assurance décès invalidité, perte d'emploi et incapacité de travail. En général, les conditions d'assurance sont les mêmes que pour le prêt principal. L'établissement accordant le prêt à taux zéro n'est pas nécessairement le même que celui qui accorde le prêt principal. Aucun frais de dossier ne doit être perçu par le ministère du Logement pour un prêt à taux zéro.

Votre organisme de crédit constitue le dossier, pour lequel vous devez fournir certains documents, notamment une fiche de renseignements personnels. Cette fiche, standard, permet de donner des renseignements de base sur vous et votre foyer ainsi que sur votre logement. Vous devez également signer une attestation sur l'honneur concernant l'exactitude des renseignements fournis.

Le prêt d'accession sociale

Le Prêt d'Accession Sociale (PAS), destiné aux personnes dont les ressources sont inférieures à un plafond fixé par décret, est subventionné par l'État.

Si vous pouvez y avoir accès, il est à préférer au prêt conventionné, car il offre un taux plus avantageux (0,6 points en moins). En outre, il bénéficie de nombreux avantages :

- le PAS vous fait bénéficier d'une assurance chômage (couverture partielle). En cas de perte d'emploi, vous bénéficiez d'un report gratuit de vos échéances en fin de prêt. Cette garantie est étendue au prêt à taux zéro, si vous complétez votre PAS avec ce prêt ;
- il ouvre droit à l'Aide Personnalisée au Logement (APL), versée par la caisse d'allocations familiales, et vous permet de réduire vos charges de remboursement mensuelles de 76,22 à 167,69 euros, selon la région d'acquisition ;
- les frais de dossier sont plafonnés à 457,35 euros ;
- il entraîne la réduction des frais de notaire et de la taxe locale d'équipement ;
- si vous faites construire, vous pouvez limiter le remboursement aux seuls intérêts d'emprunt pendant la durée de la construction. Vous ne commencez à rembourser le capital emprunté qu'à la livraison du logement.

Les conditions d'accès

Le PAS permet de financer l'acquisition d'un logement neuf ou ancien (sans obligation de travaux), des travaux d'amélioration ou d'économie d'énergie seule, pourvu qu'il s'agisse de votre résidence principale (vous devez l'occuper au moins 8 mois par an). Le logement doit respecter des normes de surface et de prix au mètre carré, qui varient selon le type de logement et selon qu'il s'agit d'une acquisition, d'une construction ou de travaux.

Votre apport personnel représente au moins 10 % du montant de l'acquisition. Par exemple, si vous cherchez à acquérir un logement d'une valeur de 152 449 euros, votre apport personnel doit être au moins de 15 245 euros.

Vos revenus ne doivent pas dépasser des plafonds fixés par décret. Pour obtenir un PAS, le plafond de ressources varie en fonction du nombre de personnes au foyer et de la localisation du logement.

Le plafond de ressources pour obtenir un PAS

Nombre de personnes au foyer	Île-de-France		Province	
	(en francs)	(en euros)	(en francs)	(en euros)
1	99 727	15 204	79 672	12 146
2	146 381	22 316	116 524	17 764
3	175 794	26 800	140 133	21 364
4	205 270	31 294	163 718	24 959
5	234 835	35 801	187 403	28 570
Personne supplémentaire	+ 29 500	+ 4 498	+ 23 600	+ 3 598

La durée

S'il s'agit d'une acquisition ou d'une construction, elle peut varier de 10 à 25 ans. S'il s'agit de travaux, elle varie de 5 à 15 ans.

Le taux

Il peut être fixe ou variable, selon les banques, mais il est plafonné.

Le PAS peut être complété par :

- un prêt à 0 % ;
- un prêt 1 % logement ;
- un prêt épargne logement ;
- un prêt fonctionnaire ou un « petit prêt » ;
- un prêt relais ;
- certains prêts « sociaux », à condition que le taux d'intérêt n'excède pas 5 %.

L'achat d'un logement ancien

Vous pouvez financer l'achat d'un logement ancien et, le cas échéant, les travaux d'amélioration nécessaires. Le logement ancien doit correspondre à des normes de confort et de surface minimales, après travaux si nécessaires : au minimum 16 m^2 pour 2 personnes, 34 m^2 pour 4 personnes et 52 m^2 pour 6 personnes.

Si le logement a plus de vingt ans, un état des lieux doit être établi par un professionnel indépendant de la transaction, qui vérifiera que le logement respecte les normes minimales de confort et de surface réglementaires.

L'établissement prêteur vous fournira la liste des experts qui peuvent dresser cet état des lieux.

L'achat d'un logement neuf ou la construction d'une maison

Vous pouvez financer l'achat d'un logement neuf à un promoteur ou la construction d'une maison ainsi que le terrain sur lequel vous construisez.

Le financement de travaux

Vous pouvez financer des travaux d'amélioration, d'économie d'énergie, d'agrandissement ou de transformation en logement d'un local non destiné auparavant à l'habitation. En cas d'agrandissement, la surface créée doit être d'au moins 14 m^2.

Les travaux doivent atteindre un montant minimum de 4 000 euros au total (à compter du 1er janvier 2002).

Les modalités

Le PAS peut être accordé par la plupart des établissements de crédit. Il peut couvrir jusqu'à 100 % du coût de l'opération. Ce coût comprend notamment toutes les taxes :

- le prix du terrain ;
- les frais d'assurance dommage ouvrage ;
- certaines taxes afférentes à la construction ;
- les frais d'état des lieux, obligatoire en cas d'acquisition d'un logement de plus 20 ans ;
- le coût des travaux, y compris les honoraires liés à leur réalisation.

En revanche, les frais d'instruction de dossier du prêt et les frais notariaux ne sont pas pris en compte. Le contrat de prêt peut prévoir la possibilité de rallonger la durée jusqu'à 30 ans maximum ou de la réduire sans limite.

Vous avez le choix entre un PAS à taux fixe, à taux révisable et un PAS modulable. Le taux du PAS varie selon les établissements de crédit, sans pouvoir dépasser un taux maximum réglementé. Vous avez donc intérêt à vous renseigner auprès de plusieurs établissements avant de vous engager.

Le 1 % logement

Ce prêt est disponible uniquement pour les salariés des entreprises qui cotisent à cet organisme. Sont exclus les dirigeants de l'entreprise et les membres de leur famille.

Les entreprises qui peuvent adhérer sont les entreprises de plus de dix salariés, à l'exception des entreprises du secteur public et celles du secteur agricole.

Le principe est que les entreprises participantes investissent chaque année 1 % de la masse salariale dans le logement social.

Les salariés peuvent bénéficier des fonds du 1 %, par :

- la location d'un logement à loyer réduit, celui-ci étant construit avec l'argent collecté. Le salarié continue à bénéficier du contrat de location, s'il quitte l'entreprise ;
- l'accès à des prêts à des conditions très avantageuses.

Les autres petits prêts

Les **prêts fonctionnaires** sont accordés par le Crédit Foncier de France et le Comptoir des Entrepreneurs.

Le taux du prêt accordé est de 7 % sur une durée de 10 ans ou de 15 ans. Ce taux peut être ramené à 4 % pour les trois premières années, si l'emprunteur est fonctionnaire de l'État ou d'un établissement public.

Les montants maximaux sont fixés en fonction du type de logement et de la zone géographique. Ils sont majorés d'environ 40 % pour les jeunes ménages (moins de cinq ans de mariage et dont la somme des âges ne dépasse pas 55 ans).

Les prêts accordés par les **caisses de retraite et les mutuelles,** selon la caisse et la situation de l'adhérent, offrent des conditions avantageuses. Elles peuvent aussi cautionner les prêts auprès d'organismes qui vous proposeront des taux préférentiels.

Les prêts accordés par certaines **caisses d'allocations familiales,** toujours selon la situation personnelle de l'acheteur. Les conditions d'octroi sont sévères, surtout concernant les revenus, et les montants des prêts sont fortement limités.

Les **prêts familiaux** et les **dons** sont faits le plus souvent sans aucun taux d'intérêt ou à des taux très privilégiés. Si vous pouvez y recourir profitez-en, mais soyez prévoyants et pensez aux problèmes que cela peut entraîner si des parents avantagent un enfant. Pensez à prévoir des preuves matérielles du don ou du prêt.

Les aides

L'Agence Nationale pour l'Amélioration de l'Habitat (ANAH)

Lors de sa mise en place, cette subvention concernait les immeubles construits après 1948. Elle est étendue aujourd'hui à tous les immeubles de plus de quinze ans.

Elle est accordée uniquement lorsque le logement est loué, au propriétaire bailleur ou au locataire, le logement devant constituer la résidence principale du locataire.

Le logement doit être loué depuis deux ans au moins avant le dépôt de la demande. Les loyers appliqués ne sont pas réglementés. Toutefois, la subvention est plus importante si le bailleur s'engage à ne pas modifier le loyer après les travaux.

À savoir !

Il est possible également de bénéficier de cette subvention avant de louer le local. Ce point intéresse particulièrement les candidats à l'accession à la propriété, qui destinent l'achat à la location.

Le propriétaire doit s'engager à louer le local en tant que résidence principale du locataire pendant dix ans. Cette durée peut être réduite à cinq ans, s'il en fait sa résidence personnelle.

Les travaux subventionnés sont ceux qui impliquent une amélioration des conditions d'habitabilité du logement, c'est-à-dire l'amélioration des parties communes, de l'équipement intérieur (cuisine, sanitaires, branchements divers, etc.), remplacement d'éléments qui nuisent à la salubrité, à la sécurité ou à la qualité d'usage.

Toutefois, devant l'afflux des demandes, sont considérées comme prioritaires les demandes qui concernent la réalisation de l'un des trois éléments de confort (wc intérieur, salle d'eau, chauffage) pour les logements qui en sont dépourvus.

Les travaux doivent être effectués par des spécialistes, après l'accord de l'ANAH.

Le montant de la subvention

Il est déterminé par un pourcentage, en fonction du montant des travaux. Le pourcentage est au minimum de 25 % du coût des travaux.

Il est porté à :

- 25 %, 30 % ou 35 % pour les Opérations Programmées d'Amélioration de l'Habitat (OPAH) avec conventionnement ;
- 30 % pour les diagnostics portant sur l'état de l'immeuble ;
- 35 % pour les opérations à but architectural ou expérimental ;
- 50 % pour les diagnostics thermiques et les logements d'avant 1948 dont le propriétaire s'engage à ne pas augmenter le loyer ;
- 40 à 70 % pour les programmes sociaux thématiques.

Pour Paris et les communes limitrophes, le taux des subventions est porté à :

- 40 %, si le bailleur accepte de pratiquer des loyers modérés ;
- 50 %, si les loyers sont conventionnés.

La prime d'amélioration du logement occupé par le propriétaire

Pour bénéficier de cette prime, le logement doit constituer la résidence principale du propriétaire. Les ressources de celui-ci ne doivent pas dépasser des plafonds établis annuellement.

Le montant de la prime est de 20 % à 25 % du coût des travaux, ceux-ci étant considérés dans une limite évaluée annuellement. Il peut atteindre 35 % pour les propriétaires dont les revenus sont très réduits, et cela dans certaines régions.

Les travaux doivent concerner une mise aux normes minimales d'habitabilité, l'équipement intérieur, l'adaptation du logement aux personnes handicapées, l'isolation phonique et thermique, l'économie d'énergie. Ce dernier type de travaux doit impérativement être associé à d'autres travaux.

Pour bénéficier de cette prime, il faut déposer une demande auprès du ministère de l'Équipement, du Logement et du Transport.

L'aide personnalisée au logement

L'APL est une aide versée par les caisses d'allocations familiales ou les caisses de mutualité sociale et agricole. Elle vient compléter les deux prêts précédents.

Comme le PAS, elle est conditionnée par un plafond de ressources maximales, c'est pourquoi elle est souvent associée à ce prêt.

Peuvent prétendre à l'APL les personnes suivantes :

- les propriétaires qui ont acquis leur logement au moyen d'un PAS ou d'un prêt conventionné ;
- les propriétaires d'un logement amélioré avec une prime d'amélioration à l'habitat ou un prêt conventionné ;
- les locataires de logement, de type HLM, si le logement est occupé en tant que résidence principale.

Pour en bénéficier, il faut en faire la demande auprès de votre caisse d'allocations familiales. Cette attribution n'est pas automatique. Son montant est réévalué annuellement, en fonction de la situation familiale de chaque demandeur, selon les critères suivants :

- activité ou chômage du bénéficiaire et de son conjoint ;
- mise à la retraite et invalidité du bénéficiaire et de son conjoint ;
- décès, séparation, divorce ou obligation de domicile séparé pour raisons professionnelles ;
- naissance d'un enfant ;
- diminution ou augmentation du nombre de personnes à charge au foyer.

L'APL est versée mensuellement : directement au bailleur, si le bénéficiaire est locataire, sinon, à l'organisme prêteur.

Pour connaître avec précision le montant de l'APL auquel vous avez droit, vous devez vous adresser à votre antenne locale.

Signalons également l'existence des aides et des prêts suivants :

- l'allocation de logement social, octroyée annuellement par la caisse d'allocations familiales, en fonction des ressources du propriétaire ;
- les prêts disponibles auprès de la caisse d'allocations familiales pour les travaux concernant la résidence principale. Ils représentent 80 % du coût des travaux, dans une limite réévaluée annuellement, et remboursables sur une durée de trois ans ;

- la subvention pour suppression de l'insalubrité dont bénéficient les propriétaires qui occupent leur logement depuis plus de deux ans. Ils peuvent s'adresser à la DDE ;
- l'aide pour les études et travaux concernant la maîtrise de l'énergie, disponibles auprès de l'Agence Française pour la Maîtrise de l'Énergie ;
- les prêts disponibles auprès du Comptoir des Entrepreneurs et du Crédit Foncier de France.

Les prêts bancaires classiques

La majorité des emprunteurs ne bénéficient d'aucun prêt à taux privilégié (conditionnés par des revenus minimums ou certains types de logements), mis à part le prêt épargne logement. Pour les autres, le montant des emprunts privilégiés qui leur sont accordés est inférieur au prix de leur acquisition. Il ne reste plus à ces accédants à la propriété qu'à se tourner vers les banques et les établissements prêteurs pour compléter leur financement.

Comment sont accueillis ces emprunteurs potentiels auprès des banques ? Avant de les accueillir à bras ouverts, les banquiers regardent de très près les points suivants :

- leur apport personnel ;
- leur capacité d'endettement. Certains acquéreurs sont contraints de rallonger la durée des remboursements. En fait, au-delà de 15 ans, l'échéance diminue peu (5 %, par exemple, lorsqu'on passe de 20 à 25 ans), en revanche, le coût du crédit grimpe en flèche (+18 % dans le cas cité) ;
- la qualité du bien acheté. Cela intéresse le banquier, lorsqu'il prend une hypothèque sur le bien. C'est souvent le cas, surtout pour les prêts consentis sur une longue durée.

3. Les prêts immobiliers

Si vous financez votre achat à hauteur de 30, 40 ou 50 %, vous pouvez prétendre sans problème à un emprunt à taux privilégié.

Si votre apport personnel se limite à 20 %, ce qui représente le minimum autorisé pour l'achat d'une résidence principale, vous devez être persuasif et souvent accepter un taux plus élevé pour obtenir un emprunt.

Aussi, il est dans votre intérêt de faire le tour des possibilités de prêts qui peuvent constituer un apport personnel :

- les prêts et les dons familiaux ;
- le 1 % patronal ;
- le prêt social ;
- le prêt de votre caisse de retraite, caisse d'allocations familiales ou mutuelle ;
- le prêt épargne logement ;
- votre épargne personnelle.

De plus en plus d'organismes bancaires mettent en place des taux à la carte, qui privilégient les investisseurs et les acquéreurs offrant de bonnes garanties.

Les taux des prêts sont bonifiés (la bonification peut atteindre 1 %) pour les emprunteurs qui ont un apport personnel important et les barèmes varient en fonction du pourcentage de celui-ci.

Il existe deux grands types de prêts bancaires immobiliers :

- le prêt immobilier à taux fixe. Le taux et la durée sont fixés à la signature du contrat. Les mensualités sont fixes ou progressives. Dans le cas de mensualités progressives, celles-ci sont minorées au départ puis elles augmentent pendant quelques années et peuvent redevenir fixes en fin de crédit. Son avantage est la certitude quant au montant des mensualités ;
- le prêt immobilier à taux variable. La durée du prêt est fixée, mais le taux et, par conséquent, les mensualités sont variables. Toutefois, elles

peuvent être fixes pendant les deux premières, varier ensuite selon un indice et dans des limites définis au moment de la signature. Cette catégorie peut s'avérer très avantageuse ou, au contraire, désavantageuse, selon la situation économique au cours des années du prêt.

Le prêt hypothécaire

Vous avez besoin d'emprunter pour acheter un autre bien immobilier ou pour avoir de la trésorerie. Le prêt hypothécaire vous permet d'emprunter la somme dont vous avez besoin au taux normal d'un prêt immobilier.

Vous pouvez y avoir recours lorsque vous êtes propriétaire d'un appartement, d'un immeuble ou d'une maison individuelle et que ces biens sont libres de toute hypothèque.

La garantie sera en contrepartie une hypothèque du montant exact de la somme empruntée sur le bien immobilier.

Le prêt travaux de copropriété

Lorsque des travaux de copropriété sont décidés, vous pouvez soit demander directement à votre banquier un prêt travaux, soit le syndic peut demander un prêt travaux au nom de la copropriété. Cette seconde formule présente un avantage : le prêt est couvert par une assurance qui prend en charge les risques de non-achèvement des travaux et le non-remboursement d'un ou plusieurs copropriétaires. Cela évite de faire payer un supplément aux autres copropriétaires et d'augmenter les charges.

Le prêt à la chandelle

Lorsque vous vous portez acquéreur d'un bien immobilier mis en vente par adjudication, vous n'avez pas toujours la somme disponible. Le banquier peut vous remettre un chèque qui représente 10 à 15 % du prix de l'acquisition pour vous permettre de réaliser votre opération. Le montant du prêt intègre l'avance que votre banquier vous a fait.

Le prêt monument historique

Les banques qui ont passé un accord avec la Caisse Nationale des Monuments Historiques et des Sites (CNMHS) peuvent vous proposer, après accord de la Direction du patrimoine, des prêts à taux bonifiés pour la restauration et la réhabilitation d'immeubles entrant dans cette catégorie.

Le prêt relais

Bien qu'entrant dans la catégorie des prêts immobiliers bancaires, ce prêt n'est pas d'une formule courante ; il est réservé à un cas bien spécifique. Aussi le présentons-nous à part.

Il est à l'ordre du jour quand l'acheteur doit mener simultanément l'achat d'un nouveau logement et la vente d'un ancien. C'est en quelque sorte une avance sur le produit de la vente, consentie sur une courte durée : en général, douze mois reconductibles une fois. C'est une formule à double tranchant, car elle dépanne les acheteurs en manque de liquidité, mais les taux pratiqués sont élevés et les intérêts s'accumulent.

Les deux parties ont intérêt à ce que ce type de prêt ne s'éternise pas : le client car cela lui revient cher, le banquier car il s'inquiète de la faisabilité de la vente. Plus elle tarde, plus la situation de son client devient périlleuse.

Lorsque le marché de l'immobilier est fluide et les acheteurs nombreux, il est possible de se désengager rapidement ; lorsqu'il stagne, l'emprunteur risque de vendre son bien précipitamment, acculé par la charge des remboursements.

Ce produit est souvent proposé accompagné d'un prêt immobilier classique à long terme. Certaines banques pratiquent d'ailleurs un taux plus attractif lorsqu'elles proposent un crédit relais associé à un prêt immobilier à long terme. D'autres en font même un produit d'appel avec des taux nettement inférieurs aux taux immobiliers.

Là aussi, comparez attentivement les différents produits proposés par les banques.

Le prêt relais finance en principe 60 à 80 % du montant du bien à vendre. Toutefois, certaines banques proposent de financer 100 % du montant.

Pour évaluer la valeur du bien, la banque peut prendre en charge les frais d'expertise ou vous inciter à le faire. Sachez qu'une expertise immobilière coûte 600 euros au minimum.

Selon les banques, vous aurez la possibilité ou pas de rembourser le capital emprunté et les intérêts *in fine*, ce qui vous évite de payer des mensualités souvent jumelées avec celles d'autres prêts.

Certaines formules prévoient également de pouvoir rembourser une partie du capital par anticipation (au minimum 20 %) sans pénalité, si la vente est réalisée avant la fin de la durée du prêt.

Selon la solidité du dossier, la valeur du bien vendu par rapport à celui qui est acheté et la politique de la banque, celle-ci prend des garanties plus ou moins fortes : elles vont du simple engagement du notaire à verser les fonds dès que la vente est conclue à la prise d'hypothèque sur le bien acquis, voire sur le bien à vendre.

Les à-côtés du prêt

Il ne suffit pas de connaître tous les prêts qui existent, il faut également savoir comment dialoguer avec son banquier et comment préparer son dossier de prêt. Pour dialoguer sans perte de temps avec votre banquier, il peut être utile de consulter le lexique des mots clés qui suit.

3. Les prêts immobiliers

L'amortissement

L'amortissement du capital se fait par le paiement des échéances. L'amortissement peut être constant ou progressif.

Dans le premier cas, et si le taux est fixe, vous paierez la même somme tout au long des remboursements.

Dans le cas d'amortissement progressif, vous paierez des sommes qui seront augmentées par paliers (sur deux ou trois ans en général).

Certains prêts prévoient un différé d'amortissement en début de prêt pour alléger les premières échéances, qui correspondent souvent à une période où l'acheteur est surchargé de dépenses.

Le prêteur doit vous remettre un tableau d'amortissement, tableau de bord de votre emprunt qui retrace, échéance par échéance, la part des intérêts, du capital remboursé et des assurances à payer.

Les assurances

Il existe deux types d'assurances : une assurance obligatoire commune à tous les prêts immobiliers et une assurance facultative.

L'assurance obligatoire est l'assurance décès, invalidité, incapacité de travail. Tout emprunteur doit y adhérer. C'est à la fois une garantie pour l'organisme prêteur et une sécurité financière indispensable pour l'emprunteur et sa famille. En cas d'emprunt fait par un ménage, cette assurance peut couvrir l'emprunteur et son conjoint.

Cette assurance prend en charge :

- vos mensualités de remboursement durant une période d'incapacité de travail (elle prend effet après un délai plus ou moins long) ;
- le solde de votre prêt restant dû en cas d'invalidité totale et définitive ou en cas de décès.

L'assurance-chômage, facultative, peut également couvrir l'emprunteur seul, si ses revenus sont nettement supérieurs à ceux de son conjoint. Sinon, elle peut couvrir les deux conjoints. Sous certaines conditions et selon votre choix (plus ou moins coûteux), elle couvre tout ou partie de vos mensualités de remboursement en cas de chômage.

À savoir !

Ces assurances commencent à courir après un délai de carence plus ou moins long. Lisez attentivement le contrat que vous avez en main.

Le coût de ces assurances varie selon les banques, selon la catégorie de prêt et la qualité de la couverture, mais reste inférieur à 1 % du montant des mensualités.

Le capital

Selon le cas, on peut parler de plusieurs capitaux différents. Faites-vous bien préciser de quoi il s'agit :

- capital prêté et capital emprunté désignent le montant du prêt obtenu ;
- capital versé totalement ou par fractions, lorsque vous achetez sur plan selon l'état de l'avancement des travaux et des sommes demandées par le promoteur/constructeur ;
- capital restant dû, partie du capital qui reste dû à la banque après le paiement d'une mensualité donnée ;
- capital amorti, part du capital remboursé.

Les échéances

Ce terme concerne les dates auxquelles vous devez rembourser, ainsi que les sommes que vous devez payer. Selon leur périodicité, on parle d'annuités, de sommes trimestrielles ou de mensualités (cas le plus fréquent).

Les garanties

Lorsque vous demandez un prêt d'un montant supérieur à 10 000 euros, le prêteur peut exiger une garantie.

En fait, il y a toujours une prise de garantie lors de l'achat d'un bien immobilier ou de travaux importants. Cette garantie peut prendre deux formes :

- l'hypothèque sur le bien immobilier, presque toujours automatiquement prise. L'hypothèque devient effective par acte notarié qui doit être inscrit dans les livres du Bureau des hypothèques. Elle devient ainsi opposable aux tiers. En général, elle est prise pour le montant de la dette et pour la durée du prêt. Plusieurs hypothèques peuvent être prises sur un même bien. On parle d'hypothèque de premier rang lorsque le prêteur a un droit de préférence avant tout autre créancier. Celui qui détient une hypothèque de deuxième rang est informé de la portée de son engagement, dans certains cas, le prêt peut être considéré comme nul, annulant de fait le contrat de vente.
- la vie de l'emprunt, si vous avez des difficultés pour régler les mensualités.

La loi prévoit trois solutions à des problèmes de paiement des mensualités.

La procédure de **règlement à l'amiable** établie par la loi Neiretz. Pour en bénéficier, saisissez la Commission de surendettement.

Elles ont été mises en place pour vous aider à alléger les charges de vos remboursements. Elles peuvent intervenir pour mettre en place un plan conventionnel de règlement soumis à l'accord des deux parties. Cet accord peut réduire ou annuler les intérêts, reporter ou rééchelonner les échéances, etc. La Commission peut aussi proposer de vendre votre bien pour éponger les dettes.

La loi Scrivner prévoit une possibilité de **faire appel au juge d'instance** de son lieu de domicile. Si les problèmes rencontrés sont bien réels, le juge d'instance peut ordonner la suspension (maximum de deux ans) des paiements. Il détermine les modalités de paiement des sommes reportées et qui restent exigibles. Toutefois, cette ordonnance reste très rare et concerne surtout les personnes à faible revenu.

La procédure de **règlement judiciaire civil** qui est créée devant le juge d'instance de votre domicile. Elle peut être ouverte à votre demande ou à la demande d'un tiers, s'il y a constatation d'une situation de surendettement. Le juge suit les étapes suivantes :

- peut suspendre les paiements pour une durée de deux mois renouvelables deux fois ;
- étudie la situation financière du débiteur ;
- vérifie que les dettes sont bien exigibles et liquides ;
- procède à une conciliation à l'amiable, si cela n'a pas été fait ;
- prend sa décision sur le redressement judiciaire de la situation financière du débiteur.

Le juge peut reporter ou rééchelonner les paiements pendant une durée qui ne peut dépasser 5 ans ou la moitié de la durée des emprunts en cours. Il peut aussi décider de réduire ou d'annuler le taux d'intérêts.

Si vous êtes en difficultés pour rembourser vos échéances, pensez aux assurances que vous avez contractées, si vous êtes dans une situation couverte par celles-ci.

L'assurance décès ou invalidité, obligatoire, couvre le total des mensualités. S'il y a deux emprunteurs conjoints et que l'un décède ou est déclaré invalide, l'autre conjoint ne rembourse que la valeur du pourcentage pour lequel il est assuré. Ce montant n'est pas obligatoirement de 50 %, mais peut être modulé en fonction des revenus de chacun.

L'assurance-chômage qui rembourse vos mensualités après un certain délai de carence et cela pendant le temps défini par votre contrat, en général 6 à 24 mois. Elle est facultative, faut-il encore y avoir souscrit.

Vous pouvez aussi négocier avec votre banquier, qui appréciera le fait que vous l'avertissiez de vos problèmes, avant que la situation ne devienne critique. Vous pouvez essayer d'obtenir une renégociation de vos échéances sur une durée plus longue. Vous pouvez obtenir satisfaction, si vous êtes un bon client et que vous n'avez pas eu de problèmes auparavant, à condition que vous sachiez persuader le banquier de votre capacité à assumer votre nouvel engagement.

Si vous n'arrivez pas à faire face, il ne vous reste plus qu'une solution : vendre.

Les organismes prêteurs laissent passer en général trois échéances avant de mettre votre dossier au contentieux. Il vaut mieux vendre à l'amiable au prix du marché, car une vente par adjudication judiciaire est toujours une vente au rabais, où le bien est sous-évalué.

Si vous remboursez le prêt par anticipation, il vous restera peut-être assez d'argent pour envisager un autre achat. Toutefois, un remboursement anticipé de capital, forcé en cas de difficultés ou pas, entraînera toujours des frais supplémentaires. En effet, le banquier vous demandera un pourcentage, jusqu'à 3 % du capital restant dû et que vous remboursez par anticipation. Dans certains cas, si vous avez de bonnes relations avec lui et si vous êtes un bon client, vous pouvez arriver à négocier un taux plus faible, voire en être dispensé.

Les frais de dossier

La majorité des prêts contractés donnent lieu à des frais de dossier lors de leur ouverture. Ils sont plus ou moins importants, selon la nature du prêt et selon l'organisme prêteur. Pour un prêt immobilier classique, ils sont d'environ 300 à 800 euros.

Voici une liste non exhaustive des documents à fournir pour votre dossier :

- le plan ;
- le devis des travaux ;
- le permis de construction ou l'évaluation des travaux ;

Chapitre 4

Officialisez votre désir d'achat

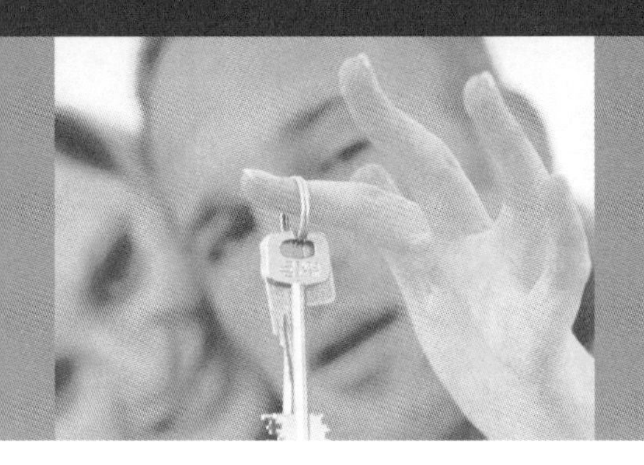

Cette officialisation se fait au moyen d'un contrat préliminaire de vente qui sert à « réserver », à bloquer le logement et à vous donner une préférence par rapport aux autres acheteurs éventuels. Ce n'est pas un contrat de vente définitif, cependant il engage les deux parties et ne peut être rompu que sous certaines conditions, relativement sévères et limitées, que nous verrons plus loin.

Ce contrat peut prendre quatre formes différentes, en fonction du type d'acquisition que vous souhaitez réaliser :

- la promesse de vente qui est signée lors de l'achat d'un bien immobilier achevé ou ancien ;
- le contrat de vente d'immeuble à construire, qui concerne l'achat d'appartement ou de maison individuelle sur plan ;
- la promesse de vente pour un achat en lotissement ;
- le contrat d'achat d'un terrain à bâtir et le contrat de construction d'une maison individuelle, lorsque vous décidez d'acheter un terrain, puis d'y faire bâtir votre maison.

La promesse de vente

Cette forme de contrat, qui officialise la vente, est à l'ordre du jour lors de l'achat d'un bien immobilier ancien.

Cet « avant-contrat » est nécessaire pour plusieurs raisons. Les plus importantes étant souvent les délais qui sont indispensables aux deux parties pour pouvoir mener à bien la vente :

- pour l'acquéreur, du temps est indispensable pour obtenir les prêts auxquels il peut prétendre ;
- pour le vendeur, un délai est inévitable pour réunir les pièces administratives nécessaires à la signature de l'acte notarié de vente.

La promesse de vente doit être rédigée avec soin. Cela peut éviter bien des ennuis au moment de la signature de l'acte définitif. Elle doit notamment comporter le délai dans lequel la vente sera réalisée et l'acte définitif notarié signé.

Il existe deux formes de promesse de vente, que nous allons voir ci-après : la promesse de vente synallagmatique, ou compromis de vente, et la promesse unilatérale de vente.

Le compromis de vente

La promesse de vente synallagmatique, ou compromis de vente, peut prendre la forme d'un acte authentique, signé devant un notaire : son coût moyen est soit forfaitaire (en moyenne, de 250 à 350 euros), soit de l'ordre du quart des honoraires perçus par le notaire au moment de la vente. Lorsque l'agent immobilier se charge de sa rédaction, son montant est compris dans le prix de vente annoncé.

La promesse de vente peut aussi prendre la forme d'un acte sous seing privé. Dans ce cas, chaque partie reçoit un exemplaire original. Il faut savoir que l'enregistrement de l'acte n'est pas obligatoire et on peut donc éviter de payer les frais d'enregistrement par un notaire.

Par cette formule, les deux parties, acquéreur et vendeur, s'engagent fermement, l'un à vendre, l'autre à acheter le bien immobilier en question. Pour confirmer cet engagement, lors de la signature du compromis de vente, un acompte est demandé à l'acheteur, d'un montant de 10 % environ.

La caractéristique la plus importante de cette promesse est qu'il s'agit d'un véritable acte de vente sous seing privé.

La réglementation précise que la promesse de vente vaut « vente », lorsqu'il y a consentement des deux parties. Toutefois, la plupart du temps, le compromis de vente comporte des conditions suspensives pour tempérer ce contrat ferme et différer sa conclusion jusqu'à la réalisation de la vente. À ce stade, les deux parties n'ont pas besoin de réaffirmer leur volonté de conclure l'affaire.

Formule usuelle régissant le compromis de vente

La formule la plus usuelle qui régit le compromis de vente est la suivante : *« M. Dupond promet de vendre à Mme Lemercier qui accepte et s'engage à acheter l'immeuble dont la désignation suit, aux prix et aux conditions suspensives fixées dans la présente promesse de vente. »*

Les avantages de la promesse de vente

Les deux parties sont liées et la vente est conclue, même si le prix n'a pas encore été payé. Le décès ou l'incapacité d'une des parties sont sans influence sur la vente.

Les délais de réitération du compromis par acte notarié ont moins d'importance que ceux de la promesse unilatérale.

Les inconvénients de la promesse de vente

L'acquéreur est propriétaire du bien avant d'en jouir et il doit en assumer les risques de propriété.

Les droits de mutation sont exigibles dans les deux mois, même si la vente n'a pas été conclue. Les deux parties sont solidaires pour le paiement des droits et des éventuelles pénalités de retard.

Pour que le contrat de vente soit opposable aux tiers, il doit être publié au Bureau des hypothèques. Si les deux parties ne sont pas d'accord pour le publier, une procédure devra être engagée et les droits de mutation payés quand même.

En cas de désistement de l'acquéreur, le vendeur ne recouvre sa liberté de vente qu'après une action en justice dont le jugement (parfois long) le délivrera de ses engagements.

À savoir !

En cas d'opération croisée, vente d'un bien et achat simultané d'un autre bien, il est recommandé de signer la promesse de vente du bien vendu en premier et d'être vigilant sur les clauses suspensives.

Certaines indications et informations doivent figurer obligatoirement dans la promesse de vente. En principe, ce sont les mêmes qui sont incluses dans l'acte authentique de vente et qui serviront à sa rédaction. Elles feront référence en cas de difficulté au moment de sa signature. Aussi, il convient de faire très attention à ses clauses, en particulier :

- à l'état civil du vendeur et de l'acquéreur ;
- à l'identification exacte du bien immobilier concerné ;
- à la description et la liste de meubles vendus, si le bien est acheté meublé ;
- au prix exact de l'acquisition, les dates et les modalités de versement ;
- aux modalités de règlement des frais afférents au compromis de vente ;
- aux modalités de règlement de l'intermédiaire de la vente, notaire ou agent immobilier ;
- au délai prévu pour la signature définitive, sachant qu'il peut dans certains cas être prolongé ;

- à l'origine du bien, c'est-à-dire la date de construction, le nom éventuel des précédents acquéreurs ;
- aux servitudes administratives et privées, s'il existe, par exemple, un droit de passage sur le terrain, si l'immeuble est classé, etc. ;
- aux éventuelles hypothèques ;
- à la description des charges de copropriété et autres charges afférentes au bien immobilier ;
- si l'acquéreur doit avoir recours à un prêt pour financer l'acquisition du bien, cela sera explicitement spécifié dans le contrat. Il est normal que le vendeur s'inquiète de la façon dont l'acquéreur compte le régler. Le montant et la nature du prêt sont indiqués. Si la demande d'un prêt est prévue, il est dans l'intérêt de l'acheteur de préciser que l'obtention du prêt constitue une condition suspensive. Une durée limite pour l'obtention du prêt, et donc pour la signature du contrat, est spécifiée. Elle est comprise entre un et six mois et peut être repoussée, si les deux parties en expriment le désir avant l'expiration de celle-ci.

Si l'acquéreur n'obtient pas les prêts escomptés, la promesse est rompue. En revanche, l'acheteur doit apporter la preuve des démarches entamées pour l'obtention du prêt et celle de son refus. Le vendeur doit lui restituer l'acompte versé dans un délai maximum de quatorze jours après la demande écrite adressée au vendeur. Passé ce délai, celui-ci devra à l'acheteur également des intérêts sur les sommes engagées.

À savoir !

La promesse de vente rompue pour non-obtention de prêt annule le paiement des commissions dues à un intermédiaire immobilier.

Souvent, le compromis de vente précise la date limite à laquelle devra être déposée la demande de crédit. Si l'acquéreur ne respecte pas ce délai et que le crédit n'est pas accordé dans les temps pour cette raison, le vendeur peut rompre la promesse de vente aux torts de l'acquéreur et garder les sommes versées par lui. De même, si le montant du crédit demandé est supérieur au montant indiqué dans le contrat.

Au cas où l'acheteur ne désire pas avoir recours au prêt pour financer son achat, il doit le spécifier par une mention manuscrite et indiquer que, s'il a néanmoins recours à un prêt, il ne pourra prétendre bénéficier de la condition suspensive précitée. S'il n'y a pas d'indication manuscrite, il pourra en prévaloir.

La loi Carrez

« Toute promesse unilatérale de vente ou d'achat, tout contrat réalisant ou constatant la vente d'un lot ou d'une fraction de lot mentionne la superficie de la partie privative de ce lot ou de cette fraction de lot. La nullité de l'acte peut être invoquée sur le fondement de l'absence de toute mention de superficie. »

Extrait de la loi n° 96-1107 du 18 décembre 1996 améliorant la protection des acquéreurs de lots de copropriété.

Pour vendre un appartement, la loi Carrez exige d'indiquer sa superficie privative exacte. Celle-ci n'est pas toujours simple à calculer et peut cacher des pièges que seul un professionnel pourra déceler. Pas de risque de se tromper et de tromper l'acquéreur en faisant appel à un géomètre expert qui garantit la vraie superficie et rassure l'acquéreur.

Le rapport du géomètre sera joint à la promesse de vente et à l'acte définitif.

D'autres conditions suspensives facultatives peuvent être inclues dans la promesse :

- obtention du permis de construire lors de l'achat d'un terrain ;
- présentation d'un certificat d'urbanisme garantissant la valeur du bien ;
- établissement par un géomètre expert d'un mesurage de la superficie du bien vendu qui soit en accord avec la surface indiquée (la loi Carrez le rend obligatoire dans certains cas) ;
- l'existence d'une hypothèque égale ou supérieure à la valeur du bien convenu ;

- l'existence de servitudes conventionnelles ;
- l'origine du bien, etc.

Toutefois, il convient de ne pas multiplier les conditions suspensives, sous peine de rendre la rédaction et l'interprétation du contrat très compliquées.

Formule de clause suspensive

« [...] sous la condition suspensive qu'aucun droit de préemption (priorité concernant l'achat) ne soit exercé par une personne ou par un organisme habilité à le faire, en vertu d'une disposition légale ou réglementaire [...]. »

Si le local est vendu occupé, le propriétaire n'est pas entièrement libre de disposer de son bien. En effet, le locataire peut exercer son droit de préemption et décider d'acquérir le bien aux mêmes conditions que celles proposées à un éventuel acquéreur. Il a deux mois pour se prononcer et, en cas de vente avec violation de ses droits (par exemple, s'il n'a pas été informé de la mise en vente), il peut se substituer à l'acquéreur dans un délai d'un mois.

Lorsque les conditions suspensives exprimées dans le contrat sont levées, le vendeur peut obliger l'acquéreur à remplir ses obligations, c'est-à-dire à acheter, sauf s'il y a une clause de dédit. Cette clause permet d'annuler la promesse de vente, mais l'acompte versé reste acquis au propriétaire.

Cette clause peut également prévoir le dédit du propriétaire. Dans ce cas, il devra verser à l'acheteur le double de l'acompte reçu.

Le délai de rétractation

Avec la mise en application de la loi Solidarité et Renouvellement Urbains, au 1er juin 2001, un délai de rétractation a été institué au profit de l'acquéreur non professionnel. Un particulier qui signe un avant-contrat dispose désormais d'un délai de sept jours pour changer d'avis en informant le vendeur par acte d'huissier ou lettre recommandée avec accusé de réception.

La promesse unilatérale de vente

Dans ce contrat, le propriétaire, ou promettant, s'engage à vendre un bien immobilier à l'acheteur, ou bénéficiaire. Une seule personne s'engage, généralement pour une durée limitée, l'autre personne restant libre d'acheter ou non durant la période fixée.

Le promettant s'engage à réaliser la vente dans le délai prévu, à la convenance de l'acheteur : soit celui-ci décide d'acheter, il paie alors le prix convenu et signe l'acte notarié de vente, soit il ne se manifeste pas et le vendeur est délié de ses engagements à l'expiration du délai.

Une promesse unilatérale d'achat peut vous être également proposée. Elle prend la forme d'un acte authentique ou sous seing privé et vous engage en tant qu'acheteur et libère entièrement le vendeur de toute obligation. Avant de la signer, soyez bien sûr de votre désir d'achat.

Dans le cas d'un acte sous seing privé, la promesse doit obligatoirement être enregistrée, c'est-à-dire signalée à l'administration, dans les dix jours qui suivent sa rédaction, sinon elle peut être caduque. Son coût d'enregistrement est d'environ 130 euros.

Formule de promesse de vente unilatérale

La formule de promesse de vente unilatérale que vous trouverez le plus souvent dans les promesses s'inspire de la formule suivante : *« M. Dupont, promettant, promet pour lui-même et pour ses héritiers de vendre au bénéficiaire, Mme Lemercier, qui accepte, sans s'y engager, d'acheter pendant le délai et aux conditions prévues le bien immobilier dont la description suit. »*

La promesse unilatérale doit comporter les mêmes clauses que le compromis de vente, c'est-à-dire le prix, la description de l'immeuble, l'hypothèque, l'existence d'un prêt, le délai pour la signature, l'éventuel dédit, etc.

Il est souvent prévu le dépôt d'une somme pour garantir la promesse de vente, mais sans que celle-ci devienne un acte de vente sous seing privé.

Le bénéficiaire devra manifester son désir d'achat par écrit quelque temps avant la date désignée pour la signature de l'acte de vente authentique.

Les deux parties peuvent prolonger le délai d'engagement prévu par le promettant, sans qu'il soit nécessaire d'enregistrer l'acte de prorogation.

Les avantages de la promesse unilatérale de vente

Si l'option n'est pas levée, si l'acheteur ne confirme pas sa volonté d'achat, le promettant recouvre la liberté de vendre, sans autre formalité.

La liberté qu'a le bénéficiaire de ne pas lever l'option est limitée par le fait que les sommes versées peuvent être perdues.

Il n'y aucune incidence fiscale pour cette forme de contrat, puisqu'il n'y a pas de transfert de propriété.

Les inconvénients de la promesse unilatérale de vente

L'acheteur doit lever l'option dans les délais prévus, sinon le contrat est annulé.

Le bénéficiaire a un droit de créance et non un droit de propriété car il n'y a pas de transfert de propriété : le propriétaire reste propriétaire du bien. Cela peut créer des problèmes en cas de décès ou d'incapacité du promettant.

Quelle forme de contrat choisir ?

Tout dépend du désir des deux contractants. Si les deux parties sont sûres d'acheter et de vendre et souhaitent s'engager définitivement, il faudra signer un compromis de vente. Comme nous l'avons vu, il est toujours possible d'y ajouter des clauses suspensives pour réduire ses effets.

Si le bénéficiaire souhaite garder une indépendance et un délai de réflexion, il demandera la signature d'une promesse de vente unilatérale en acceptant le risque de perdre son dépôt de garantie, s'il ne lève pas l'option pour la signature définitive.

L'acte authentique de vente

La signature de l'acte authentique de vente est la conclusion de votre affaire immobilière dans les deux cas que nous venons de voir.

Lors d'un compromis de vente, la vente est jugée parfaite au moment de sa signature et l'acte authentique n'est qu'une formalité administrative.

Pour la promesse de vente unilatérale, la vente n'est réalisée et parfaite qu'à la signature de cet acte authentique. Celui-ci devra être précédé d'une levée d'option par le bénéficiaire, faite durant la durée fixée par le contrat. Celle-ci engage l'acheteur et rend la vente parfaite.

Pour éviter une période transitoire entre le moment de la levée de l'option et celui de la signature de l'acte authentifié, certains contrats prévoient de rendre la vente parfaite seulement au moment de la signature de l'acte authentifié.

À savoir !

Qui paie la taxe foncière ? L'acte de vente prévoit une répartition de la taxe foncière au prorata du temps respectif de propriété des deux parties.

Le contrat de vente d'immeuble à construire

Une opération de construction immobilière étant longue, elle nécessite de gros investissements avant de devenir rentable. C'est pourquoi les promoteurs immobiliers ont recours, de plus en plus, à la vente de logements sur plan. Ils ont imaginé cette formule pour trouver des fonds plus rapidement et pour ne plus supporter seuls la charge financière.

Le contrat de vente d'immeuble à construire est à l'ordre du jour lors de la vente et de l'achat d'un logement neuf. Il concerne principalement les logements non achevés, vendus sur plan. Il est appliqué pour la vente d'un appartement situé dans un immeuble et la vente d'une maison individuelle en secteur groupé ou pas, lorsque le constructeur procure conjointement à l'acheteur le terrain et la maison.

La vente sur plan représente certains risques pour l'acheteur, que le législateur a voulu protéger en la réglementant par plusieurs lois successives, que nous verrons plus loin. Parmi les risques les plus importants, on trouve :

- la non-construction du bâtiment ;
- le non-achèvement du bâtiment ;
- la non-conformité du bâtiment aux engagements.

Par ailleurs, le contrat de vente d'immeuble à construire peut prendre essentiellement deux formes :

- la forme d'un contrat de vente à terme ;
- la forme d'un contrat de vente en l'état futur d'achèvement.

Ces deux types de contrats sont de nature juridique différente. Nous verrons en premier lieu leurs différences et ensuite nous décrirons leurs parties communes.

Le contrat de vente à terme

Par le contrat de vente à terme, le vendeur s'engage à livrer l'immeuble à son achèvement et l'acheteur s'engage à en prendre livraison et à payer le prix convenu lors de la livraison. Le transfert de propriété a lieu de plein droit, par la constatation par acte authentique de l'achèvement de l'immeuble. Il produit ses effets rétroactivement au jour de la vente.

Le contrat en l'état futur d'achèvement

Le contrat en l'état futur d'achèvement est plus fréquemment utilisé. Il est plus avantageux pour le promoteur, car il lui permet de profiter des fonds plus rapidement. Par ce contrat, le vendeur transfère immédiatement ses droits sur le sol ainsi que la propriété des constructions existantes. Ces constructions appartiennent de plein droit à l'acheteur au fur et à mesure de leur état d'achèvement. Il est tenu d'en payer le prix au fur et à mesure de leur exécution.

La procédure de la vente

Dans les deux types de contrat que nous venons de citer, la vente se fait en deux parties et à des dates différentes.

La signature du contrat de réservation

La première opération est la signature du contrat de réservation. Malgré l'engagement que cette signature représente, l'acheteur d'un bien immobilier à usage d'habitation a néanmoins la possibilité légale de se désister après la signature du contrat dans un délai de sept jours après réception par lettre recommandée avec AR à son domicile du contrat de réservation.

Le contrat de réservation ne devient définitif qu'après ce délai de réflexion accordé à l'acheteur. Pendant la période légale de sept jours, le désistement sera possible sans frais et sans pénalité.

Le désistement après le délai de réflexion

Si le réservataire se désiste de son achat après la période de sept jours de réflexion réglementaire, il perd son dépôt de garantie. Ce dépôt ne lui est rendu que si le contrat final prévoit des différences importantes par rapport au contrat préliminaire ou si les prêts attendus par l'acquéreur ne lui sont pas accordés.

De son côté, le vendeur s'engage par ce contrat à réserver le logement décrit à l'acheteur, dès sa réalisation et au cas où il serait réalisé. Il n'est nulle part indiqué qu'il s'engage à réaliser la construction. Cette protection du vendeur a ses limites : si la construction est réalisée, il ne peut pas refuser la vente au signataire.

L'acheteur s'engage donc à conclure la vente et verse un dépôt pour confirmer sa réservation. En contrepartie, le promoteur s'engage à lui réserver le local cité dans le contrat.

Le dépôt de garantie versé par l'acheteur ne peut excéder 5 % du prix prévisionnel, si la livraison est prévue dans un délai d'un an, et 2 %, si elle est prévue dans un délai de deux ans. Au-delà de deux ans, aucun dépôt ne peut être exigé.

Le contrat de réservation doit comporter impérativement les indications suivantes :

- la date à laquelle la vente pourra être conclue ;
- le descriptif essentiel de l'immeuble ;
- le descriptif et la localisation exacte du logement réservé ;
- la qualité de la construction et les matériaux utilisés ;
- les dates auxquelles les différents travaux prévus doivent être réalisés ;

- les éventuels prêts qui s ont liés à l'immeuble et que le vendeur peut obtenir à l'acheteur ;
- le prix de vente.

Le contrat de réservation peut prévoir un prix, déterminé de différentes façons :

- le prix ferme et définitif qui ne peut pas être modifié, donc pas de mauvaises surprises ;
- le prix prévisionnel de vente au moment de la signature de l'acte de vente, le vendeur peut vous demander un prix de vente supérieur à celui qui est prévu. S'il est supérieur à 5 % du prix prévu, vous avez alors la possibilité de vous désister. Le vendeur devra alors vous restituer votre dépôt initial ;
- le prix peut être révisable, souvent en fonction de l'indice BT01 (indice propre aux bâtiments et travaux), mais il faut que cela soit précisé clairement en fonction de quel critère il est révisable, pour savoir à quoi vous vous engagez.

Les engagements du vendeur/promoteur

Le vendeur s'engage soit à achever et à livrer les travaux prévus, soit à rembourser l'acquéreur. Il s'engage également à livrer les travaux dans les délais et dans les conditions prévues par le contrat de réservation.

La garantie d'achèvement des travaux est dite « **intrinsèque »,** lorsque la garantie est donnée par le vendeur seul. C'est une solution qui est appliquée lorsque l'achèvement des travaux ne fait pas de doute et ne court pas grand risque. C'est généralement le cas lorsque l'immeuble est hors d'eau et ne supporte ni hypothèque, ni privilège. C'est aussi le cas lorsque les fondations sont achevées, le financement est assuré à concurrence de 75 % par les achats réalisés ou par la structure financière du promoteur ou de son projet (s'il est solide financièrement ou s'il a eu recours aux crédits pour financer la construction).

La garantie est dite « **extrinsèque** », lorsqu'elle est assurée par un organisme différent du vendeur. Cet organisme peut être une banque, un établissement financier spécialisé ou une société de caution mutuelle du secteur de la construction. Il garantit le remboursement de l'acheteur en cas de défaillance du promoteur et de non-respect de ses engagements.

La garantie prend la forme d'une convention de cautionnement qui engage la caution. Celle-ci consiste à rembourser l'acheteur, s'il y a résolution amiable ou judiciaire de la vente pour cause de défaut d'achèvement. Si les travaux ne sont pas terminés, la vente est annulée et la caution (ou assureur) rembourse l'acheteur.

Les engagements de l'acheteur

Il s'engage à prendre livraison du bien immobilier, dès qu'il est achevé, et à payer le prix de cette acquisition. Il s'engage également à avancer des fonds au vendeur au fur et à mesure de l'achèvement des travaux, dans les proportions maximales suivantes :

- 35 % du prix à l'achèvement des fondations ;
- 70 % à la mise hors d'eau ;
- 95 % à l'achèvement de l'immeuble ;
- les 5 % restant dus sont versés au moment de la remise des clefs et de la livraison définitive du logement. Ils peuvent rester bloqués, si la livraison n'est pas conforme au descriptif du contrat.

Dans le cas d'un contrat de vente à terme, ces sommes restent bloquées sur un compte auquel le vendeur n'a pas accès.

Si c'est un contrat de vente en l'état futur d'achèvement qui est signé, aucune somme ne peut être demandée par le vendeur avant la signature du contrat de vente définitif et avant la date à laquelle la créance est spécifiée exigible dans le contrat.

Si la vente est réalisée en spécifiant une (ou des) condition (s) suspensive (s), aucune somme ne peut être exigée avant la réalisation de ces conditions. Les conditions suspensives peuvent avoir comme objet le délai, l'achèvement d'une tranche de travaux, le déménagement effectif, la levée d'hypothèque, etc.

Le contrat de vente définitif

Il constitue la seconde étape qui lie acheteur et vendeur. Il ne peut être signé avant l'achèvement des fondations de l'immeuble. Pour être juridiquement incontestable, il doit être conclu par acte notarié et comporter les indications suivantes :

- la description de l'immeuble, de l'appartement ou de la maison individuelle qui est vendu ;
- les caractéristiques techniques et les éléments de la consistance et des matériaux de l'immeuble ;
- le délai de livraison ;
- le prix, les conditions relatives à une éventuelle révision des prix et les dates des différents paiements.

Pour une vente en l'état futur d'achèvement doivent y figurer les indications concernant la garantie de l'achèvement de l'immeuble ou de remboursement en cas de résolution fin du contrat à défaut d'achèvement (pénalités encourues par le promoteur et les dédommagements dus à l'acheteur).

Lors de la signature du contrat de vente définitif, si ce n'est déjà fait, le vendeur doit remettre à l'acheteur une copie du règlement de copropriété.

L'achat dans un lotissement

Cet achat immobilier est réglementé de manière très stricte et les règles conditionnant la vente ainsi que la forme de la promesse de vente autorisée sont spécifiques.

Selon l'état de l'avancement des travaux, il est possible d'acheter un terrain situé dans un lotissement, une maison en construction ou une maison construite.

La vente d'un terrain situé dans un lotissement ne peut pas avoir lieu avant la délivrance de l'arrêté autorisant le lotissement. Elle est nulle, si elle a eu lieu avant, même si la délivrance de l'arrêté est spécifiée être une condition suspensive.

De même, toute publicité concernant le lotissement est interdite avant cette délivrance. Elle est réalisable sous condition de la délivrance du certificat d'achèvement de tous les travaux imposés au lotisseur pour rendre le terrain constructible.

Il y a principalement deux régimes dérogatoires qui permettent au promoteur de vendre des lots :

- avant le début des travaux, lorsqu'il a une garantie extrinsèque d'achèvement de travaux, donnée par une banque ou un organisme de caution mutuelle ;
- en cours d'exécution de travaux, lorsqu'il a reçu l'autorisation écrite de procéder au différé de certains types de travaux, qui consistent majoritairement en des travaux de finition, aménagement des voiries, des trottoirs, des espaces verts, des clôtures, etc.

Bien que considérée comme une vente d'immeuble à construire, la forme de la promesse de vente diffère légèrement, selon la date à laquelle la signature est réalisée.

Avant la délivrance du certificat d'exécution des travaux ou de l'arrêté autorisant la vente par anticipation, il est uniquement possible de signer une promesse de vente unilatérale. Le vendeur promoteur s'engage à vendre le lot décrit dans le contrat. Une condition suspensive, ayant trait à la délivrance du certificat d'exécution des travaux et de l'arrêté autorisant la vente par anticipation, doit être impérativement spécifiée.

Les caractéristiques du lot, les modalités de versement et de conclusion de la vente sont incluses dans la promesse de vente. Au moment de la signature, l'acquéreur verse une somme qui est considérée comme une indemnité d'immobilisation.

Après la délivrance des deux documents, il est possible de réaliser un contrat de réservation « classique », signé par les deux parties. Mis à part les indications obligatoires pour tout contrat de réservation – les caractéristiques essentielles de la maison et du lot, le prix prévisionnel de la vente et les modalités de sa révision, le délai d'exécution des travaux, la date à laquelle la vente doit être conclue, le montant du dépôt de garantie –, il doit clairement indiquer que les certificats et l'arrêté ont bien été obtenus.

Le réservataire doit verser un dépôt de garantie à la signature, il doit aussi obligatoirement recevoir l'arrêté de lotir et le cahier des charges concernant le règlement des charges de copropriété. Le vendeur doit également lui remettre un certificat indiquant la surface constructible sur le terrain réservé : SHQN. Elle correspond à la somme des surfaces des planchers diminuées des combles non aménageables, c'est-à-dire les toits, les terrasses et les parkings.

Le contrat de réservation ou la promesse de vente prévoit les règlements maximaux selon les deux modalités suivantes.

Premier cas : garantie d'achèvement donnée par une banque

Le promoteur a une garantie d'achèvement, donnée par une banque, s'il est un organisme de HLM (Habitation à Loyer Modéré) ou s'il est une société d'économie mixte :

- 5 ou 2 % du prix de vente à la signature, en fonction du délai de livraison prévue (un ou deux ans) ;

- 35 % à l'achèvement des fondations ;
- 70 % à la mise hors eau ;
- **95 %** à l'achèvement de la maison ;
- le solde, soit 5 % à la remise des clefs.

Second cas : les fondations sont achevées

La vente porte sur une maison dont les fondations sont achevées :

- 25 ou 22 % à la signature du contrat ;
- 45 % à la mise hors eau ;
- **85 %** à l'achèvement de la maison ;
- 15 % à la remise des clefs.

Les prix sont révisables, à la hausse ou à la baisse, en fonction de l'indice du bâtiment BT01, dans une limite de 70 % ; l'autre personne restant libre d'acheter ou non durant la période fixée.

Le promettant s'engage à réaliser la vente dans le délai prévu, à la convenance de l'acheteur. S'il décide d'acheter, il paie le prix convenu et signe l'acte notarié de vente. En revanche, s'il ne se manifeste pas, le vendeur est délié de ses engagements à l'expiration du délai.

Une promesse unilatérale d'achat peut également vous être proposée. Elle vous engage, vous acheteur, et libère entièrement le vendeur de toute obligation. Avant de la signer, soyez bien sûr de votre désir d'achat.

La promesse de vente unilatérale prend la forme d'un acte authentique ou sous seing privé. Dans ce dernier cas, la promesse doit obligatoirement être enregistrée dans les dix jours qui suivent sa rédaction, sinon elle peut être caduque. Son coût d'enregistrement est d'environ 130 euros.

Exemple de formule de promesse de vente unilatérale

La formule la plus courante d'une promesse de vente unilatérale s'inspire de la suivante :

« M. Dupont, promettant, promet pour lui-même et pour ses héritiers de vendre au bénéficiaire, Mme Lemercier, qui s'engage à acheter, pendant le délai et aux conditions prévues, le bien immobilier dont la description suit. »

Il est souvent prévu le dépôt d'une somme par l'acheteur pour garantir la promesse de vente, mais sans que celle-ci devienne un acte de vente sous seing privé.

Le bénéficiaire devra manifester son désir d'achat par écrit quelque temps avant la date désignée pour la signature de l'acte de vente authentique. Les deux parties peuvent prolonger le délai d'engagement prévu par le promettant, sans qu'il soit nécessaire d'enregistrer l'acte de prorogation.

Les avantages de la promesse unilatérale de vente

Si l'option n'est pas levée, le promettant recouvre la liberté de vendre, sans autre formalité. Il n'y aucune incidence fiscale pour cette forme de contrat, puisqu'il n'y a pas de transfert de propriété.

Les inconvénients de la promesse unilatérale de vente

La liberté qu'a le bénéficiaire de ne pas lever l'option est limitée par le fait que les sommes versées peuvent être perdues.

L'acheteur doit lever l'option dans les délais prévus, sinon le contrat est annulé.Le bénéficiaire a un droit de créance et non un droit de propriété car il n'y a pas de transfert de propriété : le propriétaire reste donc propriétaire du bien.

Des problèmes peuvent se présenter en cas de décès ou d'incapacité du promettant.

Les clauses de la promesse unilatérale

La promesse unilatérale doit comporter les mêmes clauses que le compromis de vente, c'est-à-dire le prix, la description de l'immeuble, l'hypothèque, l'existence d'un prêt, le délai pour la signature, l'éventuel dédit, etc.

Quelle forme de contrat choisir ?

Tout dépend du désir des deux contractants. Si les deux parties sont sûres d'acheter et de vendre et souhaitent s'engager définitivement, elles signent un compromis de vente. Comme nous l'avons vu, il est toujours possible d'y ajouter des clauses suspensives pour réduire ses effets.

Si le bénéficiaire souhaite garder une indépendance et un délai de réflexion, il demande la signature d'une promesse de vente unilatérale en acceptant le risque de perdre son dépôt de garantie, s'il ne lève pas l'option pour la signature définitive.

La signature de l'acte authentique de vente

C'est la conclusion de votre affaire immobilière, dans les deux cas.Lors d'un compromis de vente, la vente est jugée parfaite au moment de sa signature ; l'acte authentique n'est qu'une formalité administrative.

Pour la promesse de vente unilatérale, la vente n'est réalisée et parfaite qu'à la signature de cet acte authentique. Celui-ci devra être précédé d'une levée d'option par le bénéficiaire, faite durant la durée fixée par le contrat. Celle-ci engage l'acheteur et rend la vente parfaite.

Pour éviter une période transitoire entre le moment de la levée de l'option et celui de la signature de l'acte authentifié, certains contrats prévoient de rendre la vente parfaite seulement au moment de la signature de l'acte authentifié.

Le contrat d'achat de terrain et de construction de maison individuelle

Comment obtenir le certificat d'urbanisme ?

Vous avez décidé d'acheter un terrain, puis d'y faire construire votre maison. Les choses sont un peu différentes pour vous et il vous faut passer d'autres étapes avant d'habiter chez vous.

Avant d'acheter un terrain et de vous décider, même si son emplacement, la vue, sa taille, son environnement vous plaisent énormément, il faut prendre des renseignements sur ce terrain et surtout vous assurer qu'il est constructible. Dans ces cas, les affirmations du vendeur ne suffisent pas. Procurez-vous un certificat d'urbanisme qui seul peut vous fournir, sans aucun risque, les renseignements essentiels concernant le terrain.

Le certificat d'urbanisme n'est pas obligatoire, mais il est dans votre intérêt de le demander à la mairie ou de l'exiger auprès du vendeur.

Si vous vous apprêtez à signer la promesse de vente et que le certificat d'urbanisme ne peut vous être procuré dans les délais, il vous est possible de prévoir une condition suspensive ayant trait au contenu du certificat et à sa délivrance.

Vous devez en faire la demande auprès de la mairie de la commune où est situé le terrain. Entièrement gratuite, la demande, formulée en quatre exemplaires, doit être accompagnée d'un plan de situation du terrain, que vous pouvez vous procurer au cadastre.

Si vous avez un projet de construction particulier en tête et si vous souhaitez savoir s'il est réalisable et compatible avec le terrain, joignez un descriptif du projet. Vous pourrez vous faire aider par l'architecte qui fait les plans, le constructeur ou les organismes de logement.

La réponse vient en principe après deux à trois mois, en fonction de votre demande et en fonction de l'existence d'un plan d'occupation des sols.

Le certificat d'urbanisme est valable pour une durée de 12 à 18 mois, selon les régions. Il peut être prorogé une fois pour une durée égale à un an.

Les renseignements qu'il contient engagent la responsabilité de l'État, qui peut être amené à payer des dommages et intérêts à l'acquéreur en cas de renseignements erronés.

Le certificat d'urbanisme peut vous renseigner sur les dispositions de la réglementation d'urbanisme concernant le terrain qui vous intéresse, en particulier les informations du plan d'occupation des sols.

Le plan d'occupation des sols vous renseigne sur l'état actuel du terrain et sur les dispositions à venir. Il vous informe en particulier sur la possibilité de construire sur le terrain, selon qu'il se trouve dans une zone urbaine ou dans une zone naturelle où la construction est limitée, voire interdite.

À savoir !

En ce qui concerne les zones à risques naturels, la classification établie interdit la construction de logements en zone rouge, mais l'autorise sur les zones bleues où le risque, quoique moindre, existe.

EXEMPLE

Sur quelle surface puis-je construire ?

Le coefficient d'occupation des sols vous permet de connaître la surface constructible mais aussi de savoir si vous devez payer une redevance pour construire au-delà d'une certaine surface.

La densité légale de construction autorisée sans le paiement d'une taxe supplémentaire est de 1,5 à 3 par rapport à la surface du terrain, en fonction de la région où il se trouve. On vous fera payer un supplément en estimant la surface supplémentaire que vous devriez acquérir pour réaliser votre projet.

Par exemple, un coefficient d'occupation des sols de 0,3 sur un terrain de 1 000 m² permet de construire une surface au sol de 300 m².

Si vous voulez construire 350 m², vous devrez payer une taxe sur les 50 m² supplémentaires.

Le plan d'occupation des sols vous renseigne également sur les distances à respecter avec les habitations avoisinantes, ainsi que sur les projets d'urbanisme qui sont prévus autour ou sur votre terrain et qui peuvent augmenter sa valeur ou au contraire lui nuire.Vous saurez si votre projet est réalisable sous la forme que vous souhaitez et quelles sont les règles d'urbanisme auxquelles vous devrez vous soumettre : aspect extérieur, dimensions, hauteur, nombre de niveaux, type de construction, aménagement des clôtures, du jardin, etc.

Il vous renseigne sur les servitudes d'utilité publique liées au terrain. Celles-ci constituent un droit réel et ne disparaissent pas avec la vente du terrain. Entre autres, on peut citer les servitudes de vue, de passage, d'alignement. Il peut aussi y avoir des dispositions d'urbanisme qui impliquent une expropriation partielle ou totale, ou une interdiction de vendre par suite de changement dans les cartes d'urbanisme.

Le vendeur doit vous informer des servitudes qui greffent votre terrain ; s'il ne respecte pas cet engagement, la vente peut être déclarée caduque.

Les servitudes privées comme le droit de passage des voisins, l'écoulement d'eau ou la place de parking réservée ne figurent pas dans le certificat d'urbanisme.

Le géomètre expert : un avis précieux

Avant de conclure l'affaire et pour être sûr de ne négliger aucun de ses aspects, vous devrez également prendre des renseignements qui ne figurent pas forcément dans le certificat d'urbanisme. Ils concernent la nature du terrain, le sol et le sous-sol, l'existence d'une pente, la superficie réelle, que vous pouvez éventuellement faire mesurer par un géomètre expert.De même, le géomètre expert peut établir un plan de masse qui fera apparaître l'orientation, le nivellement, les courbes de niveau, le bornage, les réseaux, etc. Ces éléments seront à prendre en compte pour la construction de votre maison et dans l'établissement de votre budget.

Construire tout de suite ou attendre ?

Un autre point de réflexion est à prendre en compte avant de réaliser votre achat : il s'agit de savoir si vous désirez construire rapidement ou si vous allez attendre.En effet, l'achat d'un terrain seul ne peut pas être financé par des prêts privilégiés (PC), prêts à taux zéro, ou des prêts épargne logement (PEL). Vous devrez avoir recours, dans ce cas, aux prêts bancaires classiques.De plus, si, au moment de l'achat, vous ne vous engagez pas à construire dans les quatre années qui suivent l'achat du terrain, vous aurez à régler un droit d'enregistrement plus élevé.

Vous risquez aussi d'avoir la mauvaise surprise, les POS pouvant être modifiés, de ne pas pouvoir construire au moment où vous prendrez cette décision.

Un autre risque existe, si vous contractez un prêt pour l'acquisition du terrain, puis quelques années plus tard un second prêt pour la construction de la maison. Dans les deux cas, pour le même bien (le terrain), on vous demandera de prendre une hypothèque, ce qui n'est pas compatible et risque de nuire à l'obtention du second prêt.

En revanche, si vous achetez pour construire dans de brefs délais, vous ne rencontrerez aucun de ces problèmes.

La fiscalité lors de l'achat du terrain à bâtir

Lorsque vous achetez un terrain à bâtir, vous devez verser plusieurs taxes et droits. Certains sont liés à l'acquisition, d'autres dépendent de la construction de la maison individuelle, notamment de l'engagement pris sur la date de la construction.

Si l'acquéreur ne s'engage pas à bâtir dans un délai de quatre ans, le terrain n'est pas considéré comme un terrain à bâtir. L'acquéreur devra alors payer la taxe régionale et les droits d'enregistrement, quelle que soit la surface, avant l'enregistrement de l'acte de vente lui-même.

Si l'acquéreur s'engage à construire dans un délai limite de quatre ans, à condition de faire, par l'intermédiaire d'un notaire, une déclaration aux services fiscaux du lieu de l'achat dans les deux mois qui suivent la signature de l'acte, des abattements sont accordés.

L'acquéreur doit également fournir la preuve de l'achèvement des travaux dans un **délai de 3 mois** après le délai limite de quatre ans. Sinon, il devra payer les taxes d'enregistrement, la taxe régionale, voire une pénalité.

Deux cas sont envisagés selon la surface du terrain :

- si la **surface** est **inférieure à 2 500 m²**, la TVA est de 19,6 % ou de 5,5 % (taux applicable uniquement si l'achat est assimilé à un HLM ou effectué avec l'aide d'un PAP), selon la nature de l'achat, l'acquéreur est exonéré des droits d'enregistrement et de la taxe régionale ;
- si la **surface** est **supérieure à 2 500 m²**, la surface excédentaire est imposée au titre de la taxe régionale et des frais d'enregistrement.

D'autres impôts sont liés au terrain, indépendamment de la construction :

- la TLE (Taxe Locale d'Équipement), calculée sur l'ensemble du bien immobilier, varie de 1 à 5 %, selon les localités. Toutefois, elle est généralement de 1 %.
- la taxe pour non-réalisation de places de stationnement ;
- la taxe départementale pour les espaces naturels ;
- la taxe départementale pour le financement des CAUE ou conseils d'architecte, d'urbanisme et d'environnement.

Le permis de construire

Au moment de la construction de votre maison, vous devrez demander, personnellement ou par l'intermédiaire du constructeur, un permis de construire. En effet, la spécification du certificat d'urbanisme concernant la possibilité de construire sur le terrain acquis ne constitue pas une autorisation de procéder à celle-ci.

La demande est à déposer à la mairie du lieu où se trouve le terrain. Rédigée en quatre exemplaires, elle doit être accompagnée du plan de situation du terrain, du plan de masse de la construction et du plan des façades à l'échelle d'un centième. Enfin, elle doit être envoyée par lettre recommandée avec accusé de réception.

De plus, il est nécessaire que ce projet soit établi par un architecte, si vous ne construisez pas vous-même et si la surface hors œuvre est supérieure à 170 m^2.

Le demandeur recevra, dans un délai de quinze jours, un récépissé avec le numéro d'enregistrement de sa demande ainsi que le délai dans lequel il recevra une réponse (en général, deux mois). Si la mairie dispose d'un POS, la réponse est plus rapide et est faite par le maire. Sinon, elle est faite par le commissaire de la République.

Le permis de construire est délivré, si le projet de construction respecte les règles d'urbanisme nationales et locales. Sa validité temporaire est de deux ans et les travaux doivent débuter avant l'expiration de ce délai.

À savoir !

Dans le cas où le délai viendrait à expirer sans réponse, le permis de construire est délivré de manière tacite, sauf dans les sites classés où il doit être explicite.

Toutefois, il peut être accepté que les travaux soient réalisés en deux tranches avec une interruption allant jusqu'à trois ans. De même, dans certains cas, il est possible de proroger sa validité une fois. Sinon, il faut déposer une nouvelle demande.

Le permis de construire non accordé peut être contesté dans un délai de deux mois après la notification de son refus. Ce refus est assez rare, et la procédure est alors assez longue. Pour que votre projet puisse passer, vous avez intérêt à en modifier la conception architecturale, si celle-ci est à l'origine du refus.

Un permis accordé peut être réfuté par des tiers, s'il leur cause des nuisances et cela dans un délai de quatre mois après son affichage à la mairie ou sur le terrain à bâtir. Ils peuvent aussi demander des dommages et intérêts si votre construction leur cause un préjudice.

Il peut aussi être annulé en cours d'exécution des travaux, s'il ne respecte pas le projet. Le contrevenant peut se voir interdire la continuation de la construction, imposer le paiement d'une amende ou la démolition des parties non conformes.

Dans quel cas faut-il demander un permis de démolir ?

Lorsque vous acquérez un terrain bâti et que vous désirez démolir les bâtiments existants, vous avez besoin d'un permis de démolir. Mais ce permis n'est pas nécessaire, s'il s'agit de bâtiments vétustes, ou frappés d'alignement, destinés à être démolis pour mettre tous les bâtiments de la rue sur une même ligne.

Le contrat de construction d'une maison individuelle

Vous signerez ce contrat lorsque vous déciderez, d'une part, d'acquérir un terrain (à moins que vous ne le possédiez déjà) et, d'autre part, d'avoir recours à un constructeur de maison individuelle pour bâtir votre logement.

La réglementation concernant ce type de contrats est très stricte. Par ce contrat, le constructeur s'engage et se charge de construire votre maison en vous fournissant un plan – application des articles L.230 et 231 du *Code Permanent Construction et urbanisme* –, sinon, c'est l'article 232 qui régit le contrat.

La construction selon un plan proposé

Le contrat en vigueur sera souvent un acte sous seing privé qui ne nécessite pas d'avoir recours aux services d'un notaire. En général, vous ne signerez pas un contrat de réservation préliminaire, mais un acte de vente unique.

Il convient de rester très vigilant lors de la signature de ce contrat, car il est en général très complexe, et il est souvent accompagné d'une notice explicative et d'information législative. Il est conseillé de demander l'avis d'un spécialiste.

Toutefois, le contrat sera signé sous les conditions suspensives suivantes :

- l'achat du terrain ;
- l'obtention du permis de construire ;
- l'obtention des prêts sollicités ;
- la souscription de l'assurance « dommages ouvrage », obligatoire. Elle a pour but de financer les réparations concernant les malfaçons qui compromettent la solidité, la fiabilité et l'habitabilité de la construction ;
- l'obtention de la garantie de livraison.

Si une seule de ces conditions n'est pas remplie, le contrat est caduc. Les fonds que vous aurez versés vous seront restitués sans retenue, ni pénalité.

Ce contrat vous laisse un délai de rétraction réglementaire de sept jours, à partir de la réception du contrat par lettre avec accusé de réception.

Ce contrat doit comporter des mentions obligatoires pour vous garantir :

- l'affirmation de la conformité du projet aux règles de construction prescrites en application du *Code Permanent Construction et urbanisme* ;
- la consistance et les caractéristiques techniques du bâtiment à construire. Un plan de la construction, ainsi que divers dessins, qui seront de préférence signés et datés doivent y figurer.

Une notice descriptive très détaillée doit être jointe au contrat. Elle fait la différence entre les travaux qui sont compris dans le contrat et ceux qui sont en supplément. Ainsi, le client peut se réserver l'exécution de certains travaux, mais cela sera précisé dans le contrat. De même, le prix convenu et les modalités de révision possibles, ainsi que les limites à cette révision, doivent y figurer.

À savoir !

Les travaux non compris dans le contrat doivent être chiffrés et évalués, tout comme les travaux de raccordement aux services publics (égouts, eau, gaz, électricité, etc.), s'ils sont en supplément. Attention ! Ce poste peut fortement augmenter le prix final.

Le prix comprend les travaux de la note descriptive. Il inclut également le coût du plan, les taxes dues par le constructeur sur le coût de la construction, les coûts des garanties et la rémunération du constructeur.

Le prix peut être modulable en fonction de l'indice du bâtiment BT01, selon deux modalités de révision :

- le réajustement de la totalité du prix avant l'ouverture du chantier ;
- une révision sur les paiements en cours d'exécution du contrat, lorsque les travaux ont débuté sur une période limitée à dix mois après la signature du contrat.

Vous choisirez, en accord avec le constructeur, la formule qui vous convient, la première ayant l'avantage d'être plus simple, bien que la variation joue sur la totalité du prix. La seconde formule permet d'étaler l'incidence de la révision dans le temps, en neutralisant une partie de la variation de l'indice car il est pris en compte à 70 %De toute façon, le prix ne peut être augmenté de plus de 5 %, et cela à condition que les modalités d'augmentation soient bien précisées, sinon il ne peut être révisé. Ces modalités sont les suivantes :

- aucune somme ne peut vous être demandée avant la signature du contrat et les versements sont réglementés en fonction de la garantie intrinsèque ou extrinsèque d'achèvement des travaux ;
- la garantie du constructeur de la bonne exécution de son contrat, la garantie de remboursement et de livraison.

La garantie de remboursement doit permettre à l'acquéreur de récupérer les sommes versées avant l'obtention du permis de construire ou des prêts sollicités, s'ils n'étaient pas accordés. Elle prend la forme soit d'une consignation, soit d'un cautionnement.

La consignation est faite par le constructeur au nom du client, dans un délai de huit jours. Le document doit mentionner la date de consignation, le nom et l'adresse du consignataire.Le cautionnement est fait par le biais d'un établissement de crédit ou d'une entreprise d'assurance qui s'engage à rembourser, si le remboursement est dû au client. Cette garantie concerne des travaux ayant donné lieu à des réserves lors de la réception ou des malfaçons survenues et notifiées après celle-ci.

Chapitre 5
La signature de l'acte notarié de vente

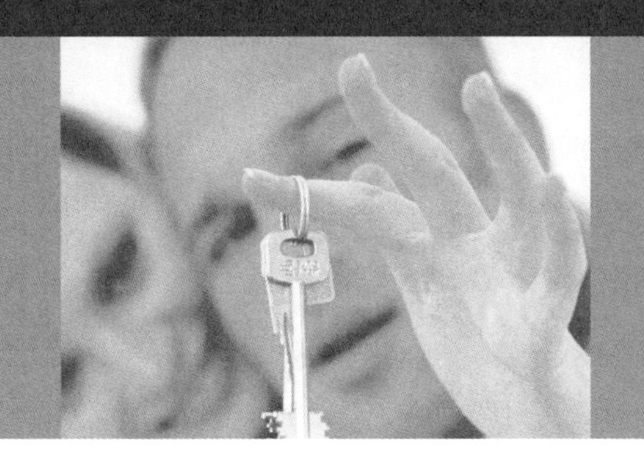

C'est l'étape définitive qui rend la vente parfaite. Généralement, la signature de l'acte notarié de vente a lieu trois à six mois après la signature du contrat préliminaire de vente, sauf s'il s'agit d'une vente sur plan où, dans la majorité des cas, vous devrez attendre que les travaux soient bien avancés, voire achevés, pour signer l'acte définitif.

Les mentions obligatoires

L'acte authentique rédigé par le notaire reprend obligatoirement les clauses et les termes contenus dans le contrat préliminaire, la promesse de vente ou le contrat de réservation ; d'où l'importance que peuvent revêtir ces documents préliminaires. S'ils sont très succincts, l'acte authentique que vous signerez ne comportera que les dispositions légales.

Selon la loi, le contrat définitif de vente doit comporter :

- un descriptif détaillé ;
- la date de livraison, de préférence en mois et non en trimestres ;
- le prix total et les conditions de révision ;
- les justificatifs de la garantie d'achèvement, de préférence extrinsèque ;
- l'échelonnement des paiements d'après l'avancement des travaux.

Vous devrez avoir eu connaissance au préalable de l'acte notarié (au minimum un mois avant la signature), car aucune des parties ne peut faire marche arrière ou refuser l'une des clauses préalablement acceptées.

De même, deux documents essentiels doivent vous avoir été remis ou communiqués au préalable : le règlement de copropriété et l'état descriptif de division. S'il s'agit d'un achat dans un lotissement, le vendeur doit vous remettre le cahier des charges et le règlement du lotissement. Ces documents comportent des indications sur le statut de la copropriété, les parties communes, l'usage possible des parties privatives, la répartition des millièmes de copropriété, entre autres.

Vous devez également avoir accès à une notice descriptive très détaillée qui définit les caractéristiques techniques de l'immeuble ou de la maison. Ce document, généralement donné en annexe de l'acte notarié, est consultable chez le notaire. Il vous permettra, lors de la réception de votre logement, de voir si les travaux sont conformes à la description contractuelle (voir réception des travaux).

Le rôle du notaire

Lors de l'achat d'un bien immobilier, vous avez forcément affaire au notaire du vendeur. Si vous signez devant lui, vous avez la possibilité de vous faire assister et/ou accompagner par votre notaire, sans avoir à payer de frais supplémentaires. En revanche, l'acte authentique de vente est rédigé par le notaire du vendeur, qui en est responsable.

Tout acte constitutif d'un droit sur un bien immobilier est publié dans un fichier tenu au Bureau des hypothèques dont dépend le bien.

Pour votre sécurité et celle du vendeur, pour pouvoir opposer la vente aux tiers et certifier d'une date exacte, il faut authentifier l'acte de vente. Le notaire est le seul officié ministériel qui est autorisé à recevoir tous les actes et contrats auxquels les parties veulent donner un caractère officiel. Le notaire assure la date de l'acte, la conserve en dépôt et délivre les grosses et les expéditions. Il authentifie les deux parties et le bien. Le notaire engage sa responsabilité professionnelle et apporte une garantie supplémentaire à ses clients, car il « valide » la vente en l'entourant des formalités essentielles à sa réalisation. Il est le garant de la bonne exécution de la vente.

Le calcul des frais de notaire

Ce qu'on appelle communément les « frais de notaire » comprennent d'autres frais que ses honoraires propres : taxes, frais d'hypothèque, honoraires du notaire, droits d'enregistrement plus d'autres frais (droit de timbre, etc.). Le jour de la signature de l'acte authentique, l'acheteur doit régler tous ces frais.

Le notaire enverra par la suite une régularisation détaillée de ses honoraires à l'acheteur.

Les taxes

La TVA (19,6 %) est due lors de l'acquisition d'un bien immobilier neuf. Elle est également exigible sur les terrains à bâtir. Généralement, la TVA est comprise dans le prix annoncé.

Un bien est considéré neuf, si la vente a lieu dans les cinq premières années de l'achèvement et s'il s'agit d'une première mutation.

La TVA peut être réduite (5,5 %), s'il s'agit d'un bien entrant dans la catégorie « HLM ». Il y a alors exonération des taxes régionale et locale. On parle, dans ce cas, de frais de notaire « réduits ».

Lorsque l'appartement ou la maison sont vendus sur plan, il faut ajouter une taxe de 0,6 % pour la publicité foncière.

Les frais d'hypothèque

Si vous hypothéquez votre acquisition, qu'elle soit neuve ou ancienne, pour obtenir un crédit, il faut prévoir des frais d'hypothèque qui sont fonction du montant du crédit.

Calcul des frais d'hypothèque

Prêt compris entre :	Montant des frais en %
3 050 et 6 100 euros	2,2 %
6 101 et 16 770 euros	1,1 %
> 16 770 euros	0,55 %

Les honoraires du notaire

En ce qui concerne l'acte de vente, les émoluments, fixés par décret, sont proportionnels au montant de la vente. Ils sont calculés en appliquant un pourcentage (taux) au capital ou à la valeur inscrite dans l'acte. Le taux, dégressif, est affecté d'un coefficient en fonction de la nature juridique de l'acte.

EXEMPLE

Calcul des émoluments pour un bien neuf

Pour l'achat d'un logement de 75 000 euros, le calcul s'effectue de la manière suivante :

1re tranche (de 0 à 3 050 euros) = 3 050 x 5 % = 152,5 euros.

2e tranche (de 3 050 à 6 100 euros) = 3 050 x 3,3 % = 100,65 euros.

3e tranche (de 6 100 à 16 770 euros) = 10 670 x 1,65 % = 176,05 euros.

*4e tranche (> 16 770 euros) = *58 230 x 0,825 % = 480,40 euros.*

**75 000 - 16 770 = 58 230 euros.*

Au total, 909,60 euros auxquels s'ajoutent les 19,6 % de TVA (c'est-à-dire 178,28 euros). En additionnant les quatre tranches et la TVA, les frais de l'acte s'élèvent à 1 087,88 euros.

Les privilèges du neuf

Lorsque le logement neuf fait partie d'un programme immobilier, les honoraires sont ramenés :

- aux 4/5 des honoraires normaux, pour un ensemble comprenant entre 10 et 24 logements :
- aux 2/3, pour un ensemble comprenant entre 25 et 99 logements ;
- à la moitié, pour un ensemble comprenant entre 100 et 249 logements ;
- etc.

EXEMPLE

Exemple de calcul pour un bien neuf

Vente d'un appartement de 110 000 euros.

Honoraires HT = (110 000 x 0,825 %) + 290,85 euros = 1 198,35 euros.

Honoraires TTC = 1 198,35 + TVA à 19,6 % = 1 433,23 euros.

S'il s'agit d'un bien neuf compris dans un programme de 60 logements, l'honoraire est égal aux 2/3 des honoraires normaux, soit :

1 198,35 x 2/3 = 798,90 euros HT = 955,48 euros TTC.

Les droits d'enregistrement

C'est l'impôt perçu lors de la vente d'un bien immobilier ancien. D'un taux global de 4,89 %, les droits d'enregistrement comprennent :

- une part départementale au taux unique de 3,6 % pour tous les départements ;

- une part communale de 1,2 % ;
- un prélèvement pour frais d'assiette de 2,5 % calculé sur la part départementale.

EXEMPLE

Exemple de calcul pour un bien ancien

Quels sont les droits d'enregistrement sur la vente d'un bien immobilier ancien ?

Taux global = 4,89 %.

Vente = 150 000 euros.

Droits d'enregistrement = 150 000 x 4,89 % = 7 335 euros.

Les autres frais

Aux montants ci-dessus, il faut encore ajouter un certain nombre de frais comme les droits de timbre sur les pages de l'acte notarié et de ses copies, des émoluments pour différentes formalités accomplies par le notaire, le coût d'obtention de certains documents (urbanisme, certificat hypothécaire, renseignement du syndic de copropriété, etc.).

En cas d'achat d'un logement neuf en copropriété, il est également réclamé à l'acquéreur une quote-part des frais d'établissement du règlement de copropriété.

L'acheteur doit également régler le salaire du conservateur des Hypothèques (0,10 % du prix de vente).

Au total, il faut compter entre 400 et 550 euros de frais divers.

Estimation des frais d'achat et de prêt

Prix du bien	Frais d'achat			Frais de prêt	
	Neuf	Ancien		Neuf	Ancien
50 000	1 720	3 800	40 000	645	891
75 000	2 150	5 300	60 000	776,5	1 145,5
100 000	2 550	6 900	80 000	908	1 400
150 000	3 330	9 850	120 000	1 171	1 909
200 000	4 130	12 860	160 000	1 434	2 418
230 000	4 600	14 850	184 000	1 592	2 724
260 000	5 100	16 600	208 000	1 750	3 029
300 000	5 730	19 000	240 000	1 960,5	3 436,5

Estimation des frais pour un logement neuf

Différents frais	Montant en euros
Vente d'un logement neuf TTC	150 000
Prix de vente HT	125 418
Montant de la TVA (19,6 %)	24 582
Montant de la taxe de publicité foncière (frais d'assiette inclus)	125 418 x 0,615 % = 771,32 euros

Exemple

Mme Martin achète un appartement pour un montant de 110 000 euros. Le vendeur, M. Ruban, l'avait acheté neuf au prix de 120 000 euros et l'a habité pendant 18 mois.

Le montant de la TVA est de 2 520 euros. Mme Martin doit acquitter au titre de la TVA, la somme de 2 420 euros. Le Trésor public remboursera 100 euros à M. Ruban.

Quand un logement neuf est revendu par son premier acquéreur, celui-ci peut déduire la TVA payée, lors de l'achat, de la TVA collectée lors de cette seconde transaction. Si la différence est négative, le Trésor public rembourse le trop-perçu.

Chapitre 6

Vous êtes propriétaire

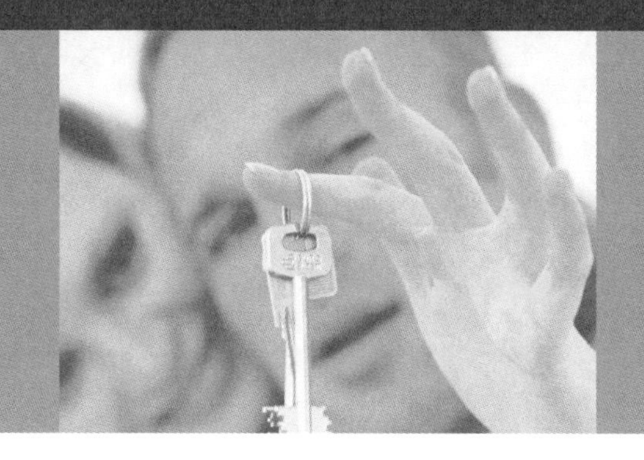

La remise des clefs

C'est la dernière étape, celle que vous avez tellement attendue ! Vous recevez les clefs de votre logement et vous êtes invité à prendre livraison de votre bien immobilier.

Si, légalement, vous êtes propriétaire dès la signature de l'acte de vente, souvent même avant, selon la promesse de vente que vous avez signée, c'est à ce moment-là que vous vous sentez pleinement propriétaire et que vous êtes satisfait d'avoir accompli cet achat.

Si vous achetez un bien ancien ou neuf achevé, la remise des clefs est une formalité bien plus légère que celle de la réception des travaux lors d'un achat sur plan. En effet, vous risquez moins d'avoir de grosses surprises lors de la remise des clefs : vous connaissez déjà le logement et vous l'avez visité en détail.

La réception des lieux

Lors de la réception des lieux, vous avez intérêt à être très vigilant, à émettre des réserves, si l'ouvrage et le logement ne correspondent pas aux engagements contractuels. Légalement, vous n'êtes pas obligé de payer le solde, tant que vous n'avez pas accepté la livraison des travaux. Vous avez même intérêt à user de ce privilège, tant que le constructeur n'a pas accompli ses engagements, surtout s'il veut vous livrer un logement qui ne correspond pas à ceux-ci.

Tant que vous n'avez pas payé, vous pouvez négocier pour obtenir ce qui vous revient. Malheureusement, malgré les garanties, une fois que vous avez accepté la livraison, il est très difficile et souvent très long d'obtenir du constructeur qu'il respecte ses engagements. Cela n'est pas forcément dû à une mauvaise volonté de sa part, mais surtout au nombre d'entreprises de sous-traitance à qui il a affaire pour l'exécution du chantier et qui, eux-mêmes, n'honorent pas leurs contrats.

Le refus de réception des lieux

Même si le constructeur n'a pas respecté ses engagements, vous ne pouvez pas pour autant refuser la livraison indéfiniment et obtenir les modifications que vous voulez.

Légalement, vous devez prendre livraison du logement s'il est « habitable » et si les réparations et les finitions que vous demandez ne rendent pas les conditions de vie trop précaires. Par exemple, si la moquette n'est pas posée, vous n'allez pas emménager sur le béton, vous pouvez refuser la livraison, pas s'il s'agit de donner un coup de peinture dans la salle de bains.

D'un autre côté, vous êtes parfois obligé de déménager rapidement car vous avez vendu votre logement actuel, emballé vos affaires... Cela ne vous oblige pas du tout à prendre livraison dans de mauvaises conditions. Avant d'accepter la livraison, essayez la négociation... ou le chantage !

Refusez la livraison, menacez le constructeur de lui faire un procès et vous verrez que, dans huit cas sur dix, cela marche. Le constructeur s'empressera d'effectuer les réparations nécessaires, fera de son mieux pour vous satisfaire et accélérer la livraison.

Les dédommagements possibles

Parmi les dédommagements possibles qu'ont obtenus des acquéreurs qui ont su négocier, on peut citer :

- le paiement d'un mois à l'hôtel ;
- le paiement des frais de garde-meuble et de déménagement ;
- le dédommagement sous forme d'une cuisine équipée, des tentures en tissu au lieu du papier peint initialement prévu.

Les garanties

Sachez toutefois que pour les vices qui risquent d'apparaître ultérieurement et à l'usage, vous bénéficiez des garanties suivantes :

- vous êtes couvert, si votre vendeur avait connaissance de vices évidents qui rendent le logement impropre à sa destination et qu'il ne vous en a pas informés lors de la vente ;
- sa responsabilité est alors engagée, au minimum, il vous doit réparation des malfaçons et souvent même des dédommagements ;
- dans certains cas, selon la gravité du vice, la vente peut même être rendue caduque.

Dans tous les cas, qu'il s'agisse d'immeubles anciens, neufs achevés lors de la vente ou achetés sur plan, votre logement est couvert de la façon suivante :

- par la garantie décennale, qui couvre pendant dix ans les désordres qui affectent la solidité du bâtiment et le rendent impropre à sa destination ;
- par la garantie de bon fonctionnement, qui couvre le logement pendant une durée de deux ans à partir de son achèvement et de sa livraison. Elle concerne les éléments d'équipement dissociables du bâtiment.

Enfin, si vous achetez sur plan, vous bénéficiez en plus de la garantie de parfait achèvement pendant un an à partir de la réception de l'ouvrage.

La garantie de bon fonctionnement

Cette garantie est valable pour une durée de deux ans après la réception des travaux. Elle concerne les éléments d'équipement de l'immeuble, comme la chaudière, la plomberie, l'électricité, le système d'ouverture des portes de garage ou l'ascenseur. Ces éléments peuvent être dissociés de l'immeuble et remplacés, sans que cela constitue un danger pour la solidité et la sûreté de l'immeuble.

Si vous êtes confronté à ce genre de problème et si vous n'arrivez pas à un règlement à l'amiable, vous ne pourrez pas obtenir une réparation de la défection sans avoir assigné en justice l'entreprise responsable. Cela est généralement très long, comme toute action en justice...

La garantie décennale

Elle joue pendant dix ans, à partir de la réception des travaux. Elle couvre toutes les malfaçons qui touchent à la solidité et à la sûreté de l'immeuble et qui **empêchent** son utilisation, même si leur cause est un vice du sol. Elle concerne ainsi les éléments constitutifs comme les fondations, les murs porteurs ou l'étanchéité.

L'assurance construction obligatoire vous permettra de réparer les dommages sans l'accord du constructeur et sans qu'il soit nécessaire de l'assigner en justice.

En cas de malfaçon

L'acquéreur doit notifier le défaut constaté par lettre recommandée **avec accusé de réception** durant le délai d'un an. Les deux parties décident en commun de la date et de la façon dont la réparation sera exécutée. Si le constructeur ne reconnaît pas le vice, il peut être constaté judiciairement par un huissier.

Au cas où le constructeur refuserait de fixer une date pour entreprendre la réfection des travaux ou bien fixe une date sans s'exécuter, et après mise en demeure, l'acquéreur peut charger une entreprise autre de les réaliser aux risques et frais du constructeur initial. Toutefois, les fonds nécessaires seront avancés par l'acquéreur, sauf s'il s'agit de travaux couverts par la garantie décennale (voir plus loin). Dans ce cas, ils sont assurés par l'assurance construction.

L'assurance construction

Elle a été mise en place pour permettre aux propriétaires d'appartements et de maisons individuelles de procéder sans attendre aux travaux relevant de la garantie décennale et qui peuvent donc mettre en cause la solidité de l'immeuble et le rendre impropre à l'habitation.

L'assurance construction comprend l'**assurance responsabilité** et l'**assurance dommages**. La souscription à ces deux assurances incombe au constructeur d'un immeuble d'appartements et d'une maison individuelle, mais la souscription à l'assurance dommages est payée par l'acquéreur.

Dans le cas de la construction d'une maison individuelle, certains constructeurs vous proposent une police d'assurance, mais vous êtes libre de choisir un autre organisme. Le coût de cette assurance varie entre 2 et 4 % du coût de la construction, aussi il convient d'être vigilant lors de votre choix.

L'assurance dommages, obligatoire, doit être souscrite avant le début du chantier.

L'assurance dommages vous permet de faire procéder aux réparations durant la garantie décennale, c'est-à-dire à partir de la fin de la garantie de bon achèvement qui est d'un an et jusqu'à une durée maximale de dix ans. L'assurance dommages vous permet également de pouvoir effectuer des réparations pendant la première année, si vous avez mis en demeure le constructeur et qu'il ne vous a pas répondu dans un délai de 90 jours.

Dans les deux cas, et pour pouvoir bénéficier de cette assurance, vous devez suivre une procédure bien précise :

- dans un délai de cinq jours après sa constatation, vous devez déclarer le dommage à votre assureur, en décrivant celui-ci par lettre recommandée avec accusé de réception ;
- votre assureur a un délai de 60 jours pour désigner un expert dont le rôle est de constater les dommages, d'évaluer le coût des travaux et de

décider si l'assuré a le droit aux réparations. S'il refuse de lui reconnaître ce droit, sa décision doit être justifiée. L'assuré a la possibilité légale, s'il n'a pas reçu de réponse dans les 60 jours qui suivent l'envoi de sa lettre, de faire procéder aux travaux de façon à ne pas augmenter l'étendue des dégâts. Cela, dans la limite du coût estimé par l'expert ou selon ses propres estimations, si le montant n'a pas été notifié par l'expert ;

- Après la réception de la lettre de déclaration du dommage, l'assureur dispose d'un délai de 15 jours pour faire connaître à l'assuré sa décision concernant le montant de l'indemnisation ;
- l'assuré peut accepter ou refuser le montant. Attention ! Le délai de réponse est de 15 jours, **à réception de la lettre de l'assureur** ; passé ce délai, l'assureur considère votre accord tacite ;
- le règlement de l'indemnisation doit avoir lieu dans les 15 jours qui suivent le constat fait par l'expert ;
- en cas de désaccord sur le montant, l'assuré peut percevoir les trois quarts du montant pour pouvoir réaliser les travaux ;
- si l'assureur ne règle pas l'assuré dans le délai prévu, ce dernier peut effectuer les réparations selon l'estimation de l'expert et l'assurance le remboursera ultérieurement ; cela implique bien sûr qu'il ait reçu l'estimation de l'expert.

Chapitre 7

La résidence principale et ses avantages fiscaux

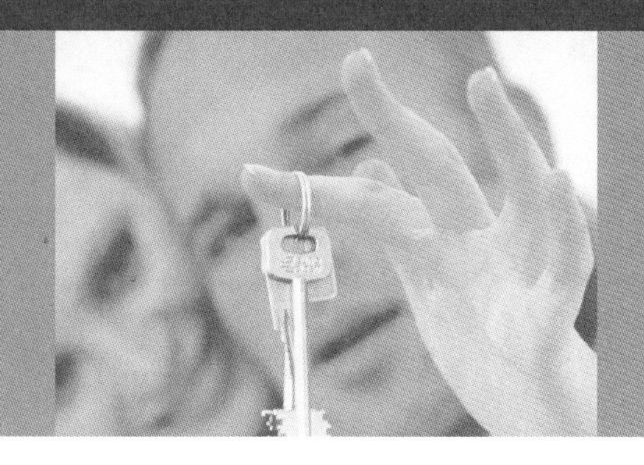

En premier lieu, il convient de bien définir la notion de résidence principale. Celle-ci est appréciée selon les principes suivants. La résidence principale est le logement où demeurent habituellement et effectivement les membres du foyer fiscal (ce qui exclut les résidences secondaires) et où se situe le centre de leurs intérêts professionnels et matériels. Les avantages fiscaux liés à l'achat d'une résidence principale sont au nombre de trois :

- l'exonération de la taxe foncière sur les propriétés bâties et des taux annexes enlevés pendant les deux années suivant l'achèvement des travaux de construction. Pour en bénéficier, vous devez adresser à l'administration fiscale une déclaration dans les trois mois qui suivent l'achèvement des travaux ;
- une exonération de la taxation des plus-values ;
- la possibilité de profiter du prêt à taux zéro ;

La réduction d'impôt pour travaux

Depuis le 15 septembre 1999, les travaux dans la résidence principale bénéficient en principe du taux réduit de TVA. Cette mesure a entraîné un profond remaniement du dispositif de réduction d'impôts qui était en vigueur avant cette date. Ce régime a été prorogé et le taux de TVA à 5,5 % est appliqué jusqu'au 31 décembre 2003.

Cette réduction concerne plusieurs types de travaux. Les **gros équipements :** dès lors que les factures ont été émises depuis le 15 septembre 1999, le taux réduit de TVA (5,5 %) s'applique à l'ensemble des travaux d'amélioration, de transformation, d'aménagement et d'entretien. Le taux réduit s'applique également aux travaux portant sur les dépendances (balcons, terrasses, garages) et sur les surfaces non bâties attenantes (la réfection d'une clôture, par exemple).

Par ailleurs, le taux de 5,5 % s'applique aux **travaux d'élagage et d'enlèvement des arbres,** situés aux abords directs des locaux à usage d'habitation. Les prestations de suivi et de coordination d'un chantier (maîtrise d'œuvre) bénéficient du taux réduit, quand elles sont réalisées par un architecte ou une entreprise indépendante.

Dans un immeuble, les **parties communes** peuvent en bénéficier lorsque l'immeuble comprend plus de 50 % de locaux à usage d'habitation. Il peut également concerner la fourniture des **équipements** et **matières premières** nécessaires et même certains gros équipements.

Mais les gros appareils de chauffage installés dans des immeubles collectifs (chaudière, cuve à fioul, citerne à gaz, pompe à chaleur), les saunas, les hammams et les ascenseurs ne bénéficient pas de cette TVA à taux réduit.

En revanche, lorsque les travaux concernent la construction ou la reconstruction (surélévation ou addition de construction), c'est le taux normal qui s'applique. Il en est de même pour les travaux de nettoyage, d'entretien ou d'aménagement d'espaces verts, qui ne sont pas admis au taux réduit.

Les justificatifs à fournir

Vous devez remettre au prestataire une attestation justifiant de l'ancienneté et de l'affectation des locaux à usage d'habitation. C'est le prestataire qui devra rendre des comptes à l'administration fiscale en cas de contrôle. Mais si vous, client, vous avez fourni des éléments erronés et avez bénéficié à tort du taux réduit, vous pouvez être recherché pour régler le complément de TVA.

Le crédit d'impôt

Les dépenses réalisées dans l'habitation principale qui ouvrent droit à un crédit d'impôt sont les dépenses de gros équipements, de production d'énergie utilisant une source d'énergie renouvelable et toutes celles qui sont liées à l'acquisition de matériaux d'isolation thermique et de régulation de chauffage.

Si les gros équipements sont fournis dans le cadre de travaux affectant la résidence principale du contribuable, celui-ci bénéficie d'un crédit d'impôt. Les conditions exigées sont plus souples que pour l'ancienne réduction d'impôt pour gros travaux, puisque le bénéfice du dispositif est accordé non seulement aux propriétaires mais aussi aux locataires, aux usufruitiers et aux occupants à titre gratuit.

De plus, le logement doit être achevé depuis plus de deux ans seulement, au lieu de dix ans auparavant. Cette condition d'ancienneté de deux ans n'est pas exigée quand il s'agit de travaux d'urgence.

Quand les travaux concernent des locaux mixtes, affectés principalement à l'habitation principale, l'ensemble des dépenses est pris en compte, contrairement à l'ancienne réduction d'impôt pour gros travaux, où seulement la quote-part des travaux concernant les locaux d'habitation l'était.

En revanche, quand les travaux concernent des locaux mixtes principalement affectés à un usage professionnel, seules les dépenses destinées à l'habitation principale sont prises en compte, à condition que ces dépenses puissent être clairement individualisées.

Ainsi, dans les immeubles collectifs, où plus de 50 % des locaux sont affectés à l'habitation, les propriétaires l'occupant à titre de résidence principale peuvent bénéficier du crédit d'impôt pour leur quote-part de dépenses de gros équipements. Cela n'est pas vrai pour les locataires et les propriétaires occupant une résidence secondaire.

À savoir !

De manière générale sont exclues du crédit d'impôt les dépenses de gros équipement réalisées dans le cadre de travaux ne bénéficiant pas du taux réduit de TVA : travaux de construction, reconstruction, agrandissement.

La loi de Finances 2001

La loi de Finances 2001 a étendu le dispositif aux équipements de production d'énergie utilisant une source d'énergie renouvelable (capteurs solaires, éoliennes, centrales hydroélectriques individuelles, pompes à chaleur, etc.) ainsi qu'aux chaudières à bois, poêles et inserts de cheminées intérieures.

Une restriction importante a été mise en place : l'équipement en question doit être vendu par l'entreprise qui procède à son installation et ne peut être acquis seul par le particulier.

Le crédit d'impôt est plafonné

Le crédit d'impôt est égal à 15 % du montant total des dépenses de gros équipements facturées, prises dans la limite supérieure de 3 050 euros pour une personne seule ou 6 100 euros pour un couple. Ce plafond est augmenté de 310 euros pour le premier enfant et chaque personne à charge, de 380 pour le deuxième enfant et de 460 euros par enfant à compter du troisième.

Le taux du crédit d'impôt est égal à 15 % des dépenses engagées dans les limites d'un plafond pluriannuel. Cela signifie qu'il existe un montant maximal sur une période de plusieurs années, quel que soit le montant de la dépense réellement payée. Cependant, le plafond a été relevé à deux reprises.

Au titre de la déclaration des revenus 2002, pour un contribuable et un même logement, le montant des dépenses ouvrant droit au crédit d'impôt ne peut excéder, pour la période du 15 septembre 1999 au 31 décembre 2002, la somme de :

- 4 000 euros pour une personne seule ;
- 8 000 euros pour un couple marié.

Cette somme est majorée de 400 euros pour le premier enfant à charge et autre personne à charge, de 500 euros pour le deuxième enfant et de 600 euros à compter du troisième enfant à charge.

Plafonnement du crédit d'impôt

Composition du ménage	Crédit d'impôt (en euros)
Personne seule	4 000
Couple marié	8 000
Couple avec 1 enfant	8 400
Couple avec 2 enfants	8 900
Couple avec 3 enfant	9 500

À l'intérieur de ce plafond, les dépenses ouvrant droit au crédit d'impôt pour la période du 15 septembre 1999 au 30 septembre 2001 ont été retenues dans les limites respectives de 3 050 euros, 6 100 euros, somme majorée de 305 euros, 380 euros et 460 euros, selon la situation familiale et les charges de famille.

À savoir !

Le coût de la main-d'œuvre correspondant à l'installation, à la pose ou au remplacement des équipements, n'est pas pris en compte dans le crédit. Le coût des fournitures qui ne s'intègrent pas aux équipements et aux appareils eux-mêmes, comme les tuyaux ou les fils électriques destinés au raccordement, est également exclu.

Par conséquent, si le contribuable n'a pas réalisé, entre le 15 septembre 1999 et le 30 septembre 2001, de dépenses ouvrant droit au crédit d'impôt, les dépenses réalisées entre le 1er octobre 2001 et le 31 décembre 2002 bénéficient du crédit d'impôt dans la limite du plafond maximum. Lorsque ce n'est pas le cas, et que des premières dépenses, atteignant le plafond autorisé, ont été réalisées avant le 30 septembre 2001, pour les dépenses réalisées entre le 1er octobre 2001 et le 31 décembre 2002, le contribuable bénéficie du crédit d'impôt dans la limite de la différence entre le nouveau plafond applicable et l'ancien plafond.

Le dispositif qui était normalement applicable jusqu'au 31 décembre 2002 a été prorogé jusqu'au 31 décembre 2005. Le contribuable bénéficie donc d'une nouvelle période de crédit d'impôt et d'un nouveau plafond de dépenses pluriannuel.

Pour les dépenses payées entre le 1er janvier 2003 et le 31 décembre 2005, le plafond de dépenses est donc de 4 000 euros, pour une personne seule, ou de 8 000 euros pour un couple marié, augmenté des majorations pour enfant ou personne à charge de 400 euros, de 500 euros ou de 600 euros, selon les cas.

EXEMPLE

Exemple de chiffres pour 2002 et 2003

Un couple marié avec un enfant a payé, en 2000, sa quote-part pour l'installation d'un ascenseur dans son immeuble, soit 7 500 euros.

Il a eu droit à un crédit d'impôt de 6 405 x 15 % = 960 euros.

En 2001, il a réglé une note de 10 000 euros, mais compte tenu des plafonds, il n'a pas pu prendre en compte cette dépense.

Par contre, s'il avait réalisé ces mêmes travaux en 2003, il aurait pu bénéficier d'un crédit d'impôt de 8 500 euros x 15 %, soit 1 275 euros, car un nouveau plafond est mis en place pour les dépenses engagées entre le 1er janvier 2003 et le 31 décembre 2005.

Les types de dépenses

Plusieurs types de dépenses réalisées dans l'habitation principale ouvrent droit à un crédit d'impôt :

- les dépenses de gros équipements ;
- les dépenses de production d'énergie utilisant une source d'énergie renouvelable ;
- les dépenses d'isolation thermique et de régulation de chauffage.

Ces dépenses n'ouvrent droit au crédit d'impôt que si les équipements sont fournis par l'entreprise qui procède à leur installation et donnent lieu à l'établissement d'une facture. Cela interdit le bénéfice de l'avantage fiscal aux matériels acquis directement, même si leur installation est effectuée par une entreprise.

Les justificatifs à fournir

Le crédit d'impôt est accordé sur présentation des factures des entreprises qui doivent comporter : l'adresse de réalisation des travaux, la nature des travaux et le détail précis et chiffré des différentes catégories de travaux effectués.

Pour les dépenses de gros équipements en particulier, afin de pouvoir bénéficier du taux réduit de la TVA, la personne à laquelle les travaux sont facturés doit remettre au prestataire, avant le commencement des travaux ou, au plus tard, au moment de l'établissement de la facture, une attestation mentionnant que l'immeuble est achevé depuis plus de deux ans au début de l'exécution des travaux et qu'il est affecté à usage d'habitation. À défaut, vous ne pourrez pas bénéficier du crédit d'impôt.

C'est le règlement définitif qui compte pour l'application du crédit d'impôt et non le versement d'un acompte au moment de l'acceptation d'un devis. Par exemple, une somme payée en 2002 à titre d'acompte sur une facture réglée en janvier 2003 ouvrira droit, au même titre que le solde de la facture, à un crédit d'impôt en 2003.

En cas de paiement par l'intermédiaire d'un syndic de copropriété, ce n'est pas le versement des appels de fonds par le contribuable qui compte, mais le paiement par le syndic du montant des travaux à l'entreprise.

Récapitulatif des déductions d'impôt de l'habitation principale

Dépenses prises en compte	Taux de réduction	Plafond	Nombre d'annuités
TVA à taux réduit depuis le 15 / 09 / 99	5,5 %	Sans plafond	Plusieurs
Crédit d'impôt en 2001 Grosses réparations, améliorations, isolation thermique et régulation de chauffage	15 %	6 000 euros pour une personne seule 6 000 euros pour un couple + 300 euros pour le 1er enfant, 380 euros pour le 2e et 457 euros à partir du 3e	
Crédit d'impôt en 2002 Grosses réparations, améliorations, isolation thermique et régulation de chauffage	15 %	4 000 euros pour une personne seule, plafonné à 3 050 euros 8 000 pour un couple, plafonné à 6 100 + 400 euros pour le 1e enfant, plafonné à 305, 500 euros pour le 2e enfant, plafonné à 380 euros, 600 euros à partir du 3e, plafonné à 460 euros	1
Crédit d'impôt entre le 1er janvier 2003 et le 31 décembre 2005 Grosses réparations, améliorations, isolation thermique et régulation de chauffage	15 %	4 000 euros pour une personne seule 8 000 pour un couple, + 400 euros pour le 1er enfant, 500 euros pour le 2e, 600 euros à partir du 3e	
Intérêts d'emprunt contractés à compter du 15/9/99	25 %	Plafonné à 2 287 euros + 305 par personne à charge	5

La réduction d'impôt pour les prêts contractés pour travaux

Les seuls prêts qui ont bénéficié de la réduction d'impôt jusqu'en 2003 sont ceux qui ont été contractés en 1997 pour l'acquisition d'un logement ancien ou la réalisation de gros travaux. Y étaient ouverts droit les intérêts versés en 2002 pour la 5e annuité de l'emprunt (dans la limite de 25 % d'un montant plafonné à 2 287 euros, majoré de 305 euros par personne à charge, quelle que soit la situation familiale) : soit une réduction maximale de 571,75 euros pour un couple marié sans enfant ou un célibataire.

En résumé...

L'avantage fiscal pour les dépenses engagées dans la résidence principale consiste en un crédit d'impôt. Il faut souligner la différence entre « réduction d'impôt » et « crédit d'impôt ».

Une réduction d'impôt ne peut jamais être remboursée mais seulement déduite de la cotisation d'impôt (calculée selon le barème de l'impôt).

Le crédit d'impôt est imputé au montant de l'impôt sur le revenu après les réductions d'impôt et les avoirs fiscaux : il peut donc éventuellement être remboursé.

Les bénéficiaires de l'avantage fiscal

L'avantage fiscal s'applique sans distinction aux propriétaires, locataires ou occupants à titre gratuit de leur habitation principale.

Vous pouvez aussi en bénéficier en tant qu'associé d'une société civile occupant le logement dans lequel est domiciliée la société, à titre d'habitation principale, et si vous payez effectivement de telles dépenses.

Enfin, c'est la situation de famille du contribuable pendant la période d'imposition au cours de laquelle la dépense a été payée qui est retenue.

Le changement de situation du contribuable

En cas de déménagement, le contribuable qui change de résidence principale peut à nouveau bénéficier du crédit d'impôt pour sa nouvelle résidence principale, même s'il a déjà bénéficié de cet avantage pour un logement antérieur ou si l'ancien propriétaire l'a utilisé aussi.

De même, s'il est contraint de quitter sa résidence principale pour des raisons professionnelles, il peut continuer à bénéficier du dispositif jusqu'à la revente.

Peu avant son emménagement, il peut aussi faire effectuer des travaux dans sa future résidence principale, mais le logement ne doit pas être affecté à un autre usage dans l'intervalle.

Il en est de même, s'il change de situation matrimoniale, quand bien même il ne changerait pas de résidence principale. En effet, le divorce ou le décès de l'un des époux entraîne la création d'un nouveau foyer fiscal.

Chapitre 8

Revendre son bien immobilier

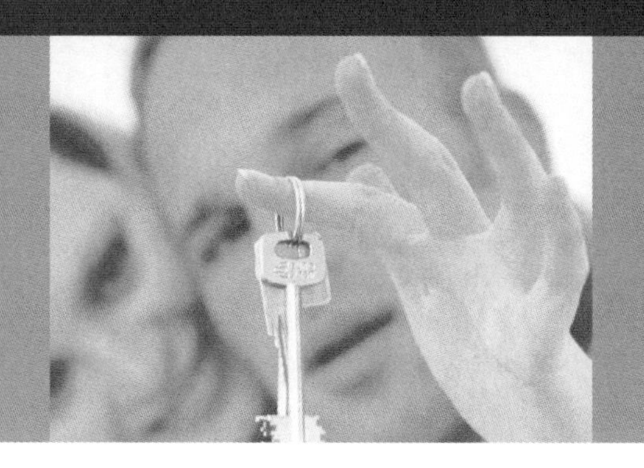

Un jour, vous penserez à la vente de votre logement. Selon le cas, vous serez redevable d'impôt ou pas. Sachez dès aujourd'hui quelle est l'imposition que vous aurez à supporter, si vous réalisez une plus-value, et dans quel cas vous aurez à la supporter.

L'imposition au titre de la plus-value

La plus-value est le bénéfice financier que vous retirez de la revente du bien par rapport à son prix d'achat. Ce prix d'achat est compris au sens large, c'est-à-dire qu'il inclut :

- les frais annexes de l'acquisition (frais de notaire, d'agent immobilier, etc.) ;
- les éventuels travaux d'amélioration que vous avez effectués (à condition de ne pas avoir déduit le montant de ces travaux de vos revenus imposables) ;
- les frais de voirie, de lotissement ;
- les intérêts des emprunts contractés pour l'acquisition ou la réparation d'une résidence secondaire ;
- les honoraires de consultation fiscale pour connaître les modalités de l'imposition des plus-values.

La plus-value concerne les propriétés bâties ou non bâties, les droits immobiliers (comme l'usufruit), les parts de sociétés immobilières. Selon le cas, la plus-value immobilière est imposable ou exonérée.

Les différents cas d'exonération

La revente de l'habitation principale

C'est le cas le plus fréquent, la majorité des ménages ayant un seul bien immobilier. Pour en bénéficier, il faut remplir plusieurs conditions :

- le logement doit effectivement constituer la résidence principale, il doit avoir été occupé pendant la majeure partie de l'année comme tel depuis son acquisition ;
- si tel n'est pas le cas, il faut qu'il ait été occupé comme tel au moins cinq ans, de manière continue ou discontinue, et que ce soit toujours le cas au moment de la revente. Cette période d'occupation peut être diminuée si elle est motivée par des raisons familiales ou professionnelles ;
- si le propriétaire a réalisé l'acquisition par l'intermédiaire d'une société « transparente », l'exonération se passe dans les mêmes conditions ; s'il est propriétaire par l'intermédiaire d'une société « non transparente », l'administration fiscale peut contester l'exonération.

La revente d'un logement

Les personnes qui ne sont pas propriétaires de leur résidence principale peuvent vendre un logement dont elles sont propriétaires sans imposition.

Sont considérés comme propriétaires de leur logement, et donc n'ont pas droit à cette exonération, les personnes qui occupent un logement appartenant à des ascendants et qui leur versent une pension alimentaire ou règlent eux-mêmes les charges de propriété. De même, l'associé majoritaire qui contrôle une société, si celle-ci met à sa disposition un logement qui constitue sa résidence principale.

Si toutes les conditions sont réunies, cette exonération n'est possible qu'une seule fois, d'où le nom de « première cession ». L'exonération est conditionnée de la façon suivante :

- elle ne peut avoir lieu dans les deux années qui suivent la vente de la résidence principale ;
- elle doit être réalisée au moins cinq ans après l'acquisition ou l'achèvement du logement ;
- ces délais de cinq ans et de deux ans ne sont pas exigés lorsque la vente est due à des raisons impliquant un changement dans la situation personnelle, familiale ou professionnelle du propriétaire.

Cela peut être :

- changement dans la situation familiale du contribuable (divorce, augmentation des personnes à charge) ;
- invalidité du contribuable, de son conjoint ou de l'un des enfants à charge ;
- changement de la résidence principale dû à des raisons professionnelles ;
- changement de la situation professionnelle du contribuable ou de son conjoint dû à une cessation forcée d'activité ;
- départ à la retraite du contribuable ou de son conjoint.

La revente d'un bien ancien

Lorsque la durée de la possession du bien est supérieure à 22 ans révolus, le bien est automatiquement exonéré de l'impôt sur les plus-values.

L'expropriation

Les expropriations de biens immobiliers n'entraînent pas de plus-value imposable lorsque la somme allouée est consacrée à l'achat d'un ou plusieurs biens de même nature, dans un délai de six mois à compter du paiement.

Les plus-values

Les plus-values sont exonérées lorsque le montant des cessions réalisées dans l'année ne dépasse pas la somme de 4 600 euros. Ce chiffre ne correspond pas à grand-chose lorsqu'il s'agit de vente d'un bien immobilier, mais cette franchise peut être utile dans le cas de la vente de parts de SCPI (Société Civile de Placement Immobilier).

L'exonération spéciale

Les propriétaires immobiliers, dont le patrimoine immobilier reste modeste, bénéficient d'une exonération spéciale. Elle est d'actualité lorsque le patrimoine immobilier du vendeur, de son conjoint et de ses enfants à charge ne dépasse pas la valeur de 61 000 euros, y compris le bien vendu. Cette somme est majorée de 15 250 euros à partir du 3e enfant à charge.

À savoir !

Les dettes contractées pour l'acquisition du bien et qui ne sont pas encore remboursées viennent en déduction de la valeur attribuée au patrimoine. Le contribuable doit en demander l'exonération auprès du fisc.

Autres exonérations

Les plus-values réalisées par les titulaires de pension de vieillesse (pensions de retraite), qui ne sont pas imposables au titre de l'impôt sur le revenu, sont exonérées.

Les plus-values qui résultent du versement d'une indemnité d'assurance, lorsque le bien a été partiellement ou totalement sinistré et qu'il est revendu, ne sont pas imposables.

Les mutations à titre gratuit, les donations, les successions et les partages sont exonérées de l'impôt sur les plus-values.

Les abattements

Mis à part ces exonérations, les plus-values bénéficient également d'abattements qui ne sont pas à négliger, lorsqu'il s'agit de petites plus-values car les abattements peuvent les annuler totalement :

- un abattement général de 915 euros sur le total des plus-values imposables au cours de l'année, quelles soient mobilières ou immobilières ; porté à 4 600 euros pour une personne seule et à 6 100 euros pour un couple. Il est majoré de 15 25 euros par enfant à charge ;
- l'abattement général est porté à 1 145 euros pour les plus-values réalisées lors d'une expropriation et une exonération totale, si le montant est réutilisé dans les 6 mois pour un achat immobilier ;
- un abattement spécifique aux résidences secondaires, lorsqu'il s'agit d'une première cession et que le propriétaire en a eu la libre disposition pendant une durée minimale de cinq ans. Il est fonction de la situation familiale.

Les deux premiers abattements ne sont pas cumulables, sauf en cas d'expropriation d'utilité publique. En revanche, il est possible de les cumuler avec le troisième.

L'imposition des plus-values non exonérées

Pour le calcul de l'impôt dû au titre de la plus-value, deux cas se présentent en fonction de la durée de possession du bien :

- si le bien est vendu avant une durée de possession de deux ans, la plus-value vient majorer le revenu de l'année de cession et est imposée en tant que revenu du contribuable ;
- si le bien est vendu après une période de possession supérieure à deux ans et inférieure à 22 ans révolus, l'imposition suit un barème qui dépend de l'année de l'acquisition. Cela revient à dire que le taux de l'imposition dépend du nombre d'années pendant lesquelles le bien a été détenu.

Le mode de calcul vise à faire bénéficier les vendeurs d'un abattement de 5 % par année d'acquisition supérieure à deux ans. Ainsi, au bout de 22 ans, le bien est totalement exonéré.

Pratiquement, le calcul se fait de la façon suivante : le prix d'achat du bien, augmenté des frais et du coût des travaux réalisés dans le logement, est multiplié par un coefficient relatif à l'année d'acquisition. La somme obtenue vient alors majorer le revenu imposable de l'année de la vente.

Le coefficient de réévaluation, qui correspond à un coefficient d'érosion monétaire, est donné par rapport à l'année d'acquisition dans le tableau qui suit.

Coefficient d'érosion monétaire et calcul des plus-values

En cas de vente d'un logement dont la plus-value est taxable, le prix d'acquisition du bien doit être actualisé en fonction du coefficient d'érosion monétaire correspondant à l'année d'acquisition.

Par exemple : un logement acheté 150 000 euros en 1980, vendu 365 000 euros en 1999, dégage une plus-value égale à :

365 000 - (150 000 x 2,19) = 36 500 euros.

Coefficients d'érosion monétaire

Année	Coefficient
1980	2,23
1981	1,96
1982	1,76
1983	1,60
1984	1,49
1985	1,41
1986	1,37
1987	1,33
1988	1,30
1989	1,25
1990	1,21
1991	1,17
1992	1,15
1993	1,13
1994	1,11
1995	1,09
1996	1,07
1997	1,06
1998	1,06
1999	1,05
2000	1,03
2001	1,02
2002	1,00

EXEMPLE

Calcul d'une plus-value

Un bien immobilier est acheté en 1980 au prix de 500 000 euros. Il est revendu en 1992 au prix de 1 500 000 euros.

Prix d'achat réévalué = 500 000 x 2,23 = 1 115 000 euros.

Plus-value avant abattement = 1 500 00 - 1 115 000 = 385 000 euros.

*Abattement = 5 % x *10 = 5 % X = 192 500 euros.*

385 00 euros - 192 500 euros = 192 500 euros.

**Pas d'abattement les deux premières années de détention.*

Cette somme peut bénéficier des abattements cités plus haut.

La plus-value majore les revenus imposables de l'année.

Annexes

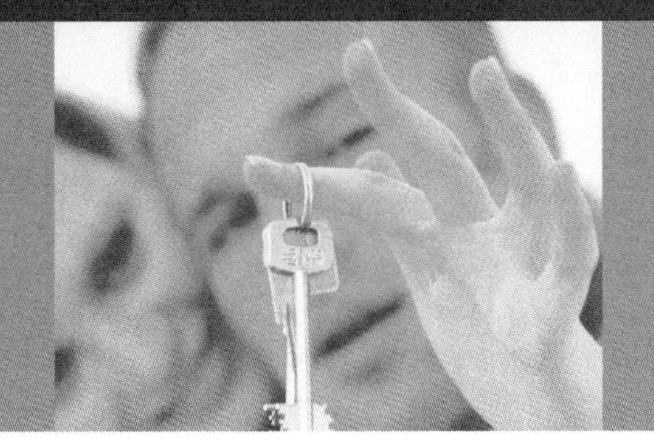

Lexique juridique

Abattement fiscal

Diminution forfaitaire d'une base d'imposition soumise à certaines conditions.

On parle également de « réduction fiscale » ou de « dégrèvement », lorsqu'il y a diminution de l'impôt, et de « déduction », lorsqu'un pourcentage est déduit.

Acte authentique

Contrat qui doit obligatoirement être rédigé par un notaire pour pouvoir être publié au Bureau des hypothèques et rendre l'acte opposable à tous les tiers, y compris les personnes qui ne sont pas mentionnées dans le contrat.

La vente immobilière ou l'échange doivent faire l'objet d'un acte authentique.

Acte sous seing privé

Acte passé sous simple signature des parties. En matière de vente, il peut s'agir d'un acte préparatoire à la conclusion d'une affaire, encore appelé « acte préalable » ou « avant-contrat », parce qu'il est ensuite remplacé par un contrat définitif.

L'acte sous seing privé est courant en matière de location.

Assemblée générale de copropriété

Réunion à laquelle doivent participer tous les membres d'une copropriété. Elle vote sur les questions portées à l'ordre du jour. Les décisions adoptées font l'objet d'un procès-verbal. Les copropriétaires doivent tenir une assemblée au moins une fois par an.

Avoir fiscal ou crédit d'impôt

Créance détenue par un contribuable sur le Trésor public. Elle est égale à la moitié des dividendes nets reçus de sociétés ayant leur siège en France et qui sont soumises à l'impôt.

Bail

Document définissant les relations contractuelles entre propriétaire et locataire. Certains sont soumis à une réglementation particulière, d'autres relèvent de la libre volonté des parties, dans le cadre des dispositions du *Code civil*. On les appelle aussi « contrats de location ».

Bailleur

Propriétaire qui donne à louer un bien immobilier.

Bail commercial

Contrat de location portant sur un local dans lequel est exercée une activité commerciale, industrielle ou artisanale. La plupart de ces baux sont soumis au décret du 30 septembre 1953 et ils engagent le bailleur pour neuf années au minimum. Le locataire peut résilier le bail tous les trois ans.

Bail d'habitation

Contrat de location portant sur un local à usage d'habitation ou à usage mixte (professionnel et habitation). La plupart des baux d'habitation, pour une résidence principale répondant aux normes actuelles de confort et d'habitabilité, sont régis par les lois du 23 décembre 1986 et 6 juillet 1989. Ils engagent le bailleur trois ans au minimum. Le locataire peut résilier à tout moment, avec un préavis de trois mois.

Bail professionnel

Contrat de location conclu pour des locaux exclusivement à usage professionnel, c'est-à-dire dans lesquels le locataire exerce une profession non commerciale, profession libérale notamment (médecins, dentistes, association, syndicat, etc.). Les baux professionnels sont régis par les dispositions du *Code civil* relatives au contrat de louage de choses et par l'article 57A de la loi du 23 décembre 1986. Ils engagent le bailleur trois ou six ans. Le locataire peut résilier à tout moment, avec un préavis de trois mois.

Lexique juridique

Bien immobilier

Immeuble, c'est-à-dire bâtiment, terrain, fonds de commerce, part de société immobilière, etc. En fait, à l'origine, tous les objets attachés à la terre, donc immobiles (y compris les arbres et les récoltes), le terrain lui-même et, par extension, les biens meubles (c'est-à-dire mobiles) lorsqu'ils sont attachés à l'immeuble (évier, cheminée, volets, etc.). En principe, les immeubles bâtis doivent avoir fait l'objet d'un permis de construire.

Cahier des charges

Document dans lequel sont indiquées toutes les caractéristiques de la demande d'un client. Ici, il s'agit des désirs du futur acquéreur lors de la construction d'un logement.

Caution

Engagement pris par un tiers pour garantir le paiement d'un crédit immobilier, en cas de défaillance de l'emprunteur, ou le paiement des loyers en lieu et place du locataire en titre.

Cession

Transmission, mutation d'un bien immobilier soit à titre onéreux (vente), soit à titre gratuit (donation).

Charges récupérables

Ensemble des frais engagés par le bailleur, qu'il peut se faire rembourser par son locataire. Les charges récupérables sont distinctes du loyer principal. En matière de baux d'habitation, les charges récupérables sont limitativement énumérées par le décret du 26 août 1987. Elles concernent les dépenses relatives à l'entretien courant du bien, des équipements mentionnés au contrat, ainsi que les menues réparations et certaines taxes.

Compromis de vente

Avant-contrat d'un bien immobilier, signé par le vendeur et l'acquéreur sous seing privé ou devant un professionnel. Le compromis de vente engage les deux parties ; l'acquéreur verse un acompte (en général, 10 % du prix de vente) lors de l'établissement de cet acte.

Conditions suspensives

Contenues dans un avant-contrat (promesse de vente unilatérale ou compromis), celles-ci suspendent l'exécution du contrat à la survenance d'un événement. Le contrat ne produit tous ses effets que lorsque l'événement prévu se réalise. Par exemple, condition suspensive d'obtention d'un prêt, d'un permis de construire, etc. Pour être valable, une condition suspensive ne doit pas dépendre du hasard ou de la seule volonté d'une partie.

Conseil syndical

Composé de copropriétaires désignés par l'Assemblée générale, il assiste le syndic et contrôle sa gestion. Son institution est obligatoire, sauf si la majorité des copropriétaires la refuse. Il règle souvent les détails et litiges de la vie quotidienne de la copropriété.

Consignation

Dépôt dans une caisse publique des sommes ou des valeurs dues à un créancier qui ne peut ou ne veut pas les recevoir, en attendant que l'affaire soit réglée.

On parle de « consignation » ou de « conservation des hypothèques ».

Copropriété

Situation d'un immeuble qui appartient à la fois à plusieurs personnes et à chacune d'elles séparément. L'immeuble est donc divisé en parties communes et en parties privatives. Le règlement de copropriété fixe les règles de la vie en commun. Régime juridique réglementé par la loi du 10 juillet 1965.

Dépôt de garantie

Somme d'argent confiée en garantie d'exécution du contrat. Dans le cas d'une location, elle est remise au bailleur par le locataire, lors de son entrée dans les lieux, et elle lui est restituée en fin de location, à condition qu'il ait payé ses loyers et charges et correctement entretenu le bien. Dans le cas d'un avant-contrat de vente (promesse ou compromis), le dépôt de garantie sert à assurer la signature du contrat définitif dans toute sa conformité.

Droits de mutation

Droits que doit acquitter une personne au Trésor public, lorsqu'il y a transfert de propriété en sa faveur. La mutation à titre gratuit entraîne des droits de donation ou de succession. Si elle est faite à titre onéreux, il y a des droits d'achats.

Droits de timbre

Prix payé pour les différents timbres nécessaires à la certification ou à l'authentification de l'acte de vente.

Émoluments

Rétributions tarifées données à un officier ministériel (notaire) pour ses actes.

Expédition (d'un acte notarié)

Double d'un acte notarié revêtu des signatures indispensables.

Forclusion

Déchéance d'une faculté ou d'un droit non exercé dans les délais impartis.

Frais d'assiette

Frais calculés sur la base de la valeur du bien. Ils incluent notamment les frais d'hypothèque qui sont fonction de la valeur du bien et, par conséquent, du montant de l'hypothèque.

Garantie financière

Elle garantit l'engagement des sommes mises en jeu lors de transactions immobilières ou dans les actes consécutifs à la gestion des immeubles, lorsque ces actes ou transactions sont effectués par un professionnel immobilier.

Grosse

Écriture d'une obligation notariée ou d'une décision judiciaire dont les caractères sont plus gros que la normale, en vue d'une bonne visibilité. Indispensable dans les actes notariés.

Hypothèque

Sert à garantir le paiement d'une dette contractée sur un bien immobilier. Elle permet au prêteur de faire vendre par voie judiciaire le bien immobilier de son débiteur, au cas où celui-ci serait dans l'impossibilité de rembourser les sommes dues.

Indemnité d'immobilisation

Somme versée par l'acquéreur lors de la signature de l'avant-contrat de vente (compromis ou promesse), à titre d'acompte sur le prix de vente. Son montant est libre, mais l'usage fait que cette indemnité s'élève le plus souvent à 10 % du prix de vente du bien.

Indivision, ou propriété indivise

Situation d'un bien détenu par plusieurs personnes sans qu'il y ait division matérielle. C'est le cas de l'achat en commun d'un logement ou d'une succession tant que la répartition des parts entre les héritiers n'est pas faite, ou encore lors d'une dissolution de société.

Par opposition on parle de propriété divise. Un état descriptif de division spécifie la partie des biens qui appartiennent à chacun des propriétaires.

Location meublée

Concerne tous les types de logements loués avec la fourniture d'un mobilier suffisant pour permettre la vie courante. Elle engage le bailleur un an au minimum. Le locataire pouvant résilier à tout moment, suivant les modalités prévues au contrat.

Locations saisonnières

Locations consenties pour une courte période, à la semaine, au mois ou à la saison. On les rencontre dans des localités qui reçoivent un afflux de résidents pendant une période déterminée. La majorité est meublée.

Loyer

Somme versée par le locataire au propriétaire en contrepartie de la jouissance d'un bien immobilier donné en location.

Mandant

Celui qui donne un mandat.

Lexique juridique

Mandat

Acte par lequel une personne (mandant) donne à une autre (mandataire) le pouvoir d'accomplir en son nom et pour son compte un ou plusieurs actes juridiques, comme une vente, un achat ou une location. Il est fait obligation pour les agents immobiliers et les administrateurs de biens de détenir un mandat pour proposer un bien à la vente ou à la location ou encore pour le gérer.

Mandataire

Celui qui reçoit un mandat.

Marchand de biens

Commerçant dont l'activité consiste à acheter des immeubles pour son propre compte et à les revendre ensuite avec l'intention de réaliser un bénéfice. Cette activité n'est pas réglementée, elle n'offre donc pas les mêmes garanties que celles de l'agent immobilier mais connaît un régime fiscal particulier. Cependant, de nombreux marchands de biens réputés exercent leur activité en réhabilitant des immeubles qu'ils achètent afin de les vendre rénovés.

Millièmes

La propriété immobilière est divisée en mille et chaque copropriétaire se voit attribué un nombre de millièmes en fonction de la surface, de la localisation de son bien.

Notaire

Officier ministériel, titulaire d'une charge et bénéficiant à ce titre d'un monopole pour l'établissement de certains actes civils ainsi que leur authentification (vente d'immeuble, contrat de mariage, testament, etc.). Le notaire a également un rôle de conseil.

Nue-propriété

Terme juridique désignant une partie du droit de propriété. Il confère à son titulaire le droit de disposer de la chose, mais ne lui autorise ni l'usage, ni la jouissance. Le nu-propriétaire paie les impôts et charges afférents au bien. Par exemple, le nu-propriétaire d'un immeuble peut faire reconstruire dans le cadre de la conservation de la chose. Il peut vendre ou céder son droit. Il ne peut ni habiter, ni louer le bien. Les droits complémentaires du nu-propriétaire sont les droits de l'usufruitier.

Option (lever une)

Droit que l'on possède sur quelque chose. On peut choisir de l'acquérir et, dans ce cas, on parle de lever l'option ou de s'abstenir.

Règlement de copropriété

Document qui régit les droits et les obligations des copropriétaires. Il est établi par un professionnel, selon les indications d'un géomètre expert et si possible du constructeur de l'immeuble. Il définit les différents lots (appartements, caves, parkings, etc.) avec pour chacun l'indication de sa situation géographique, son étage, sa superficie et le nombre de tantièmes qu'il représente pour le paiement des charges.

Revenus fonciers

Revenus tirés par le propriétaire d'un immeuble suite à la gestion du bien.

Société anonyme

Société dont les associés ne sont pas connus nominativement, mais détiennent des parts anonymes.

À l'inverse, on parle de « société transparente ».

Société Civile Immobilière (SCI)

Il s'agit d'une forme de société ayant un objet immobilier. Exemple : société civile familiale de placements immobiliers (mise en commun de biens immobiliers), société civile de construction vente (établie pendant la durée de construction d'un immeuble). La vente d'une SCI, ou la cession de parts de SCI, bénéficie d'un régime fiscal différent de la vente immobilière ordinaire.

Société coopérative

Société où les droits de chaque associé à la gestion sont égaux et où le profit est réparti de façon égalitaire.

Syndic

Représentant de l'ensemble des copropriétaires. Il est souvent difficile à tous les copropriétaires d'agir en même temps. Pour les représenter, le syndicat (c'est-à-dire l'ensemble des copropriétaires) élit un syndic en Assemblée générale. C'est habituellement un professionnel, qui souscrit les polices d'assurance, engage le personnel de l'immeuble, exécute les décisions des assemblées, veille à l'application du règlement de copropriété, lance les procédures de justice et, de manière générale, assure la gestion courante de l'immeuble. C'est lui qui détient les fonds de la copropriété et en tient la comptabilité. Il est donc chargé du recouvrement des charges et s'occupe également du paiement des fournisseurs. Chaque année, au cours de l'Assemblée générale, il justifie et explique ses comptes. Élu pour un an, son mandat est reconductible.

Syndicat des copropriétaires

Collectivité représentant l'ensemble des propriétaires d'un immeuble répondant au régime de la copropriété. Il a pour objet la conservation de l'immeuble et l'administration des parties communes. Les décisions sont prises par l'Assemblée générale. Lors de l'acquisition d'un appartement dans une copropriété, l'acheteur devient automatiquement membre du syndicat.

Tantième

Partie ou pourcentage d'une grandeur. Un immeuble en copropriété est divisé en tantièmes qui sont attribués au copropriétaire en fonction de ses lots.

Usufruit

Terme juridique désignant une partie du droit de propriété (littéralement, celui qui reçoit les fruits résultant de l'usage de la chose, fruits étant ici pris au sens de fructifier, revenu, bénéfice, etc.). Il s'agit du droit d'usage et de jouissance attaché à un bien dont la nue-propriété appartient à un autre. Ce droit est temporaire et prend fin notamment avec le décès de l'usufruitier. Les droits complémentaires de l'usufruitier sont les droits du nu-propriétaire. La décomposition de la pleine propriété entre nu-propriétaire et usufruitier résulte souvent d'une succession dans laquelle une des parties (en général, le conjoint du défunt) conserve l'usufruit, et les héritiers directs (en général, les enfants) la nue-propriété.

Valeur vénale

Valeur marchande d'un bien immobilier. Prix que le bien immobilier aurait obtenu s'il avait été mis en vente.

Viager

Contrat de vente d'un bien immobilier par lequel l'acheteur (ou débirentier) verse au propriétaire (ou crédirentier), durant toute la durée de vie de ce dernier, une rente appelée aussi « arrérage » (ou rente viagère). En plus de cette rente viagère, le débirentier peut avoir à payer une première mise de fonds, dite « bouquet », largement inférieure au prix réel du bien et venant en déduction du calcul de la rente viagère. Le montant du bouquet et celui de la rente sont calculés en fonction de trois paramètres : la valeur vénale du bien, l'espérance de vie du crédirentier et le taux de rendement supposé du capital investi. Il est préférable de faire appel à un spécialiste pour la vente en viager.

Les adresses utiles

Agence de l'Environnement et de la Maîtrise de l'Énergie
27, rue Louis Vicat

75015 Paris

Tél. : 01 47 65 20 00

ANAH (Agence Nationale pour l'Amélioration de l'Habitat)
8, avenue de l'Opéra

75001 Paris.

Tél. : 01 44 77 39 39

Associations Départementales d'Information sur le Logement (ADIL)
34, rue du Général-Delestraint

01011 Bourg-en Bresse

Tél. : 04 74 21 82 77

6, rue Laussedat

03000 Moulins

Tél. : 04 70 20 44 10

28, rue Paul-Constant

03100 Montluçon

Tél. : 04 70 28 42 04

Association des Promoteurs Immobiliers
106, rue de l'Université

75007 Paris

Tél. : 01 47 05 44 36

Association Qualitel
136, boulevard Saint-Germain

75006 Paris

Tél. : 0 800 07 11 11 (numéro vert)

Centre de Documentation et d'Information de l'Assurance

26, boulevard Haussmann

75009 Paris

Tél. : 01 42 46 13 13

Centre des Prêts sociaux

Crédit municipal de Paris

55, rue de Francs-Bourgeois

75004 Paris

Tél. : 01 44 61 65 10

Centres d'Information sur l'Habitat

Agréés par l'ANIL, ils sont conventionnés par le ministère de l'Équipement, du Logement, des Transports.

Crédit Foncier de France

23, rue des Capucines

75001 Paris

Tél. : 01 42 44 82 55

Direction Départementale de l'Équipement

50, avenue Daumesnil

75012 Paris

Tél. : 01 49 28 40 00

FNAM

129, rue du Faubourg Saint-Honoré

75008 Paris

Tél. : 01 44 20 77 00

Fédération Nationale des Services Conseils Logement (FNSCL)

41, avenue de Villiers

75017 Paris

Tél. : 01 42 12 72 27

Les adresses utiles

Fondation Nationale du Bâtiment
33, avenue Kléber
75016 Paris
Tél. : 01 40 69 51 00

Institut de l'Épargne Immobilière et Foncière (IEIF)
23, boulevard Poissonnière
75002 Paris
Tél. : 01 44 82 63 63
L'IEIF édite un annuaire des SCPI.

Union nationale des constructeurs de maisons individuelles
3, avenue du Président-Wilson
75116 Paris
Tél. : 01 47 20 82 08

Ministère de l'Équipement, du Logement et du Transport
Arche de la Défense
92055 La Défense cedex
Tél. : 01 40 81 21 22

Office National des HLM
14, rue Lord Byron
75008 Paris
Tél. : 01 40 75 78 00

Table des matières

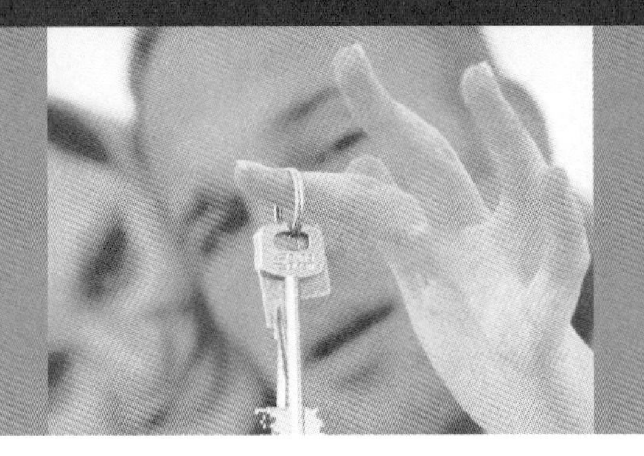

Table des matières

Table des matières

Table des matières

Notes personnelles

Notes personnelles